D0833593

Oriana Fallaci

Die Wut und der Stolz

Oriana Fallaci

DIE WUT UND DER STOLZ

Aus dem Italienischen
von Paula Cobrace

List

Die Originalausgabe erschien 2001 unter dem Titel
LA RABBIA E L'ORGOGLIO *bei Rizzoli, Mailand*

Der List Verlag ist ein Unternehmen der
Ullstein Heyne List GmbH & Co. KG

2. Auflage 2002

ISBN: 3-471-77558-7

Für meine Eltern, Edoardo und Tosca Fallaci,
die mich lehrten, die Wahrheit zu sagen,
und für meinen Onkel Bruno Fallaci,
der mich lehrte, sie zu schreiben.

An den Leser

Ich hatte das Schweigen gewählt. Ich hatte das Exil gewählt. Denn in Amerika, es ist nun an der Zeit, das laut und deutlich herauszuschreien, lebe ich wie ein Flüchtling. Hier lebe ich im politischen Exil, das ich mir zur gleichen Zeit wie mein Vater vor vielen Jahren auferlegte. Nämlich als wir uns beide klar darüber wurden, dass es zu schwierig, zu schmerzhaft geworden war, auf Tuchfühlung mit einem Italien zu leben, dessen Ideale auf dem Müll gelandet waren, und uns enttäuscht beleidigt verletzt entschlossen, die Brücken zur Mehrheit unserer Landsleute abzubrechen. Er zog sich auf einen abgelegenen Hügel im Chianti zurück, wo die Politik, der er sein Leben als integerer und rechtschaffener Mann gewidmet hatte, nicht hinkam. Ich zog durch die Welt und blieb dann in New York, wo zwischen mir und der Politik meiner Landsleute der Atlantische Ozean lag. Diese Parallele mag paradox klingen: ich weiß. Doch wenn das Exil eine enttäuschte beleidigte verletzte Seele beherbergt, dann, glaub mir, zählt die geographische Lage nicht. Wenn man sein Land liebt (und seinetwegen leidet), macht es keinerlei Unterschied, ob man sich als Cincinnatus nur mit seinen Hunden, seinen Katzen und seinen Hühnern auf einen entlegenen Hügel des Chianti zurückzieht oder als Schriftsteller auf einer von Millionen Menschen bewohnten Insel voller Wolkenkratzer lebt. Die Einsamkeit ist identisch. Das Gefühl der Niederlage ebenfalls.

Übrigens war New York seit je das Refugium Peccatorum der politischen Emigranten, der Exilanten. 1850, nach dem Fall der Römischen Republik und dem Tod Anitas und der Flucht aus Italien, kam selbst Garibaldi hierher: Erinnerst du dich? Am 30. Juli traf er ohne einen Pfennig aus Liverpool ein, und als er an Land ging, war er derart außer sich, dass er sogleich erklärte, ich-beantrage-die-amerikanische-Staatsbürgerschaft, und dann wohnte er zwei Monate lang in Manhattan. Im Haus des Livorneser Kaufmanns Giuseppe Pastacaldi. In der Nummer 26 jener Straße, die Irving Place heißt. (Sie ist mir wohl vertraut, weil genau dort 1861 auch meine Urgroßmutter Anastasìa Zuflucht suchte, die ihrerseits aus Italien geflohen war.) Danach hat er, der arme Garibaldi, sich auf Einladung des Florentiners Antonio Meucci, des zukünftigen Erfinders des Telefons, in Staten Island niedergelassen und dort, um seinen Lebensunterhalt zu verdienen, eine Wurstfabrik eröffnet, die sich aber sofort als völliger Fehlschlag erwies. Daher verwandelte er sie kurzerhand in eine Kerzenfabrik und ließ Weihnachten 1850 im Wirtshaus Ventura in der Fulton Street in Manhattan, wo er jeden Samstagabend zum Kartenspielen hinging, einen Zettel liegen, auf dem stand: »Damn the sausages, bless the candles, God save Italy if he can. Verfluchte Würste, gesegnete Kerzen, Gott rette Italien, wenn er kann.« Und hör nur, wer noch vor Garibaldi herkam. Im Jahr 1833, Piero Maroncelli: jener Schriftsteller aus der Romagna, der in der grausamen Festung Spielberg in der Zelle von Silvio Pellico gesessen hatte (dort, wo die Österreicher ihm ohne Betäubung das brandig gewordene Bein amputierten), und der dreizehn Jahre später in New York an Entbehrungen und Heimweh starb. Im Jahr 1835, Federico Confalonieri: der Mailänder Aristokrat, der von den Österreichern zum Tode verurteilt, aber von seiner Frau Teresa Casati gerettet wurde, die sich dem österreichischen Kaiser Franz Joseph zu Füßen warf. Im Jahr 1836, Felice Foresti: der Literat aus Ravenna, dessen Todesurteil die Österreicher in zwanzig Jahre Festungshaft in Spielberg umgewandelt, den sie aber dann in jenem Jahr freigelassen hatten und den New York damit empfing, dass es ihn auf den Lehrstuhl für Literatur am Columbia College berief. Im Jahr 1837, die zwölf Lombarden, die an den Galgen sollten, aber im letzten Moment von den Österreichern begnadigt wurden (die sich alles in allem besser benahmen als der Papst und die Bourbonen). Im Jahr 1838, der General Giuseppe Avezzana, der in Abwesenheit zum Tode verurteilt worden war, weil er an den ersten konstitutionellen Aufständen im Piemont teilgenommen hatte. Im Jahr 1846, der Mazzini-Anhänger Cecchi-Casali, der in Manhattan die italienische Exilzeitung »L'Esule Italiano« gründete. Im Jahr 1849, der Sekretär der römischen verfassunggebenden Versammlung Quirico Filopanti …

Doch das sind längst nicht alle. Denn auch nach Garibaldi kamen noch viele andere in dieses Refugium Pec-

catorum. Im Jahr 1858 zum Beispiel der Historiker Vincenzo Botta, der zwanzig Jahre lang als Professor Emeritus an der New York University lehrte. Und zu Beginn des Bürgerkriegs, nämlich am 28. Mai 1861, formierten sich ebenhier in New York die beiden Einheiten italienischer Freiwilliger, die Lincoln in der darauf folgenden Woche in Washington Revue passieren ließ. Die Italian Legion, die auf der amerikanischen Fahne eine große Schleife in den Farben Weiß und Rot und Grün und mit der Aufschrift »Vincere o Morire, Siegen oder Sterben« trug, und die Garibaldi Guards. Oder das Thirtyninth New York Infantry Regiment, das anstelle der amerikanischen die italienische Fahne trug, unter der Garibaldi 1848 in der Lombardei und 1849 in Rom gekämpft hatte. Ja, die sagenhaften Garibaldi Guards. Das sagenhafte neununddreißigste Infanterieregiment, das sich im Lauf der vier Kriegsjahre in den schwierigsten und blutigsten Schlachten hervortat: First Bull Run, Cross Keys, Gettysburg, North Anna, Bristoe Station, Po River, Mine Run, Spotsylvania, Wilderness, Cold Harbor, Strawberry Plain, Petersburg, Deep Bottom und weiter hinauf bis nach Appomattox. Wenn du es nicht glaubst, schau dir in Gettysburg den Obelisk an, der auf dem Friedhof von Ridge steht, und lies die Gedenktafel zu Ehren der Italiener, die am 2. Juli 1863 ihr Leben gaben, um die Kanonen zurückzuerobern, die die Südstaatler um General Lee dem Fifth Regiment US Artillery der Nordstaatler abgenommen hatten. »Passed away before life's noon/Who shall say they died too soon? / Ye who mourn, oh, cease from tears / Deeds like these outlast the years.«

Was die Flüchtlinge angeht, die während des Fa-

schismus in New York Zuflucht fanden, so waren es unzählige. Und oft handelt es sich um Männer (fast lauter bedeutende Intellektuelle), die ich in meiner Kindheit und Jugend kennen gelernt habe, weil sie Gefährten meines Vaters waren, also Aktivisten von Giustizia e Libertà: der Bewegung Gerechtigkeit und Freiheit, die in den dreißiger Jahren von Carlo und Nello Rosselli gegründet worden war. 1937 wurden die beiden Brüder in Frankreich (in Bagnoles-de-l'Orne, bei Alençon) auf Befehl Mussolinis von den Cagoulards mit dem Revolver erschossen. Im Jahr 1924 kam zum Beispiel Girolamo Valenti, Gründer und Herausgeber der antifaschistischen Zeitung »Il Mondo Nuovo«. Im Jahr 1925, Armando Borghi, der zusammen mit Valenti den italoamerikanischen Widerstand organisierte. Im Jahr 1926 kamen Carlo Tresca und Arturo Giovannitti, die zusammen mit Max Ascoli »The Antifascist Alliance of North America« ins Leben riefen. 1927, der mir sehr liebe Gaetano Salvemini, der 1934 nach Cambrigde (die Harvard University) übersiedeln sollte, um dort die Geschichte Italiens zu lehren, und der vierzehn Jahre lang den Amerikanern mit seinen warnenden Vorträgen über Hitler und Mussolini in den Ohren lag. (Von einer dieser Veranstaltungen besitze ich ein Plakat. Es hängt in einem schönen Silberrahmen in meinem living-room und darauf steht: »Sunday, May 7th 1933 at 2,30 p.m. Antifascist Meeting. Irving Plaza hotel, Irving Plaza and 15th Street, New York City. Professor G. Salvemini, International-Known Historian, will speak on Hitler and Mussolini. The meeting will be held under the auspices of the Italian Organization Justice and Liberty.

Admission, 25 cents«.) 1931 kam Salveminis guter Freund Arturo Toscanini, den Costanzo Ciano (der Vater von Galeazzo und der Schwiegervater von Edda, der ältesten Tochter Mussolinis) soeben niedergemacht hatte, weil er sich bei einem Konzert in Bologna geweigert hatte, die den Schwarzhemden teure Hymne: »Giovinezza, Giovinezza, Primavera di Bellezza« zu spielen. 1940 kamen Alberto Tarchiani, Alberto Cianca, Aldo Garosci, Nicola Chiaromonte und Emilio Lussu, die in Manhattan Randolfo Pacciardi und Don Sturzo wiedertrafen und gemeinsam mit ihnen die »Mazzini Society« sowie später die Wochenzeitschrift »Nazioni Unite« gründeten ...

Was ich sagen will, ist: Ich befinde mich hier in guter Gesellschaft. Wenn mir das Italien fehlt, das nicht das anfangs erwähnte ungesunde Italien ist (und es fehlt mir immerzu), dann muss ich nur diese Vorbilder meiner frühen Jugend herbeirufen: eine Zigarette mit ihnen rauchen, sie bitten, mich ein bisschen zu trösten. Reichen-Sie-mir-die-Hand, Salvemini. Reichen-Sie-mir-die-Hand, Cianca. Reichen-Sie-mir-die-Hand, Garosci. Helfen-Sie-mir-daran-zu-glauben-dass-ich-nicht-allein-bin. Oder ich muss nur die glorreichen Geister von Garibaldi, Maroncelli, Confalonieri etc. beschwören. Mich vor ihnen ehrfürchtig verneigen, ihnen ein Gläschen Cognac anbieten, dann die Platte mit Nabucco auflegen, gespielt vom Philharmonic Orchestra, New York, unter der Leitung von Arturo Toscanini, und sie gemeinsam mit ihnen anhören. Und wenn mir Florenz fehlt oder vielmehr meine Toskana, was noch häufiger vorkommt, dann brauche ich nur in ein Flugzeug zu steigen und hinzureisen. Heimlich allerdings, wie Mazzini es immer machte, wenn er sein Exil in London verließ, um nach Turin zu fahren und seiner Giuditta Sidoli im Verborgenen einen Besuch abzustatten. In Florenz oder vielmehr in meiner Toskana lebe ich nämlich mehr, als man glaubt. Oft monatelang oder sogar ein ganzes Jahr. Doch weiß niemand davon, weil ich à la Mazzini reise. Und zwar deshalb, weil es mir vor der Vorstellung graut, den angeblichen Landsleuten zu begegnen, derentwegen mein Vater im Exil auf dem abgelegenen Hügel starb und derentwegen ich mich gezwungen fühle, weiter hier auf der dicht besiedelten Insel voller Wolkenkratzer zu wohnen.

Schlussfolgerung: Das Exil verlangt Disziplin und Konsequenz. Tugenden, zu denen ich von einem außergewöhnlichen Elternpaar erzogen wurde: einem Vater, der die Kraft eines Mucius Scaevola besaß, und einer Mutter, die der Mutter der Gracchen glich und in deren Augen Strenge ein Antibiotikum gegen Gaunerei war. Und aus Disziplin, aus Konsequenz habe ich in diesen Jahren verächtlich geschwiegen wie ein Wolf. Ein alter Wolf, der sich in dem Wunsch verzehrt, die Schafe anzufallen, die Kaninchen zu zerfetzen, und es dennoch schafft, sich zu beherrschen. Doch es gibt Augenblicke im Leben, in denen Schweigen zur Schuld und Sprechen zur Notwendigkeit wird. Eine Bürgerpflicht, eine moralische Herausforderung, ein kategorischer Imperativ, dem man sich nicht entziehen kann. So brach ich achtzehn Tage nach der Apokalypse von New York mein Schweigen mit dem sehr langen Artikel, der zuerst in einer italienischen Tageszeitung, dann in einigen ausländischen Zeitungen erschien, worauf die Hölle los war. Und jetzt unterbreche (nicht breche: unterbreche) ich mein Exil mit diesem kleinen Buch, das etwa doppelt so lang ist wie der Text des Artikels. Daher ist es notwendig, dass ich erkläre, warum es länger ist, woher diese Länge kommt und wie das kleine Buch entstanden ist.

* * *

Es ist plötzlich entstanden. Ist explodiert wie eine Bombe. Unerwartet wie die Katastrophe, die am Morgen des 11. September 2001 Tausende von Menschen zu Asche und zwei der schönsten Gebäude unserer Epoche zu Staub werden ließ: die Türme des World Trade Center. Am Vorabend der Katastrophe dachte ich an ganz anderes: Ich arbeitete an dem Roman, den ich als mein Kind bezeichne. Ein sehr umfangreicher und anspruchsvoller Roman, den ich in diesen Jahren nie vernachlässigt habe, den ich höchstens manchmal einige Wochen oder Monate ruhen ließ, um mich in einem Krankenhaus behandeln zu lassen oder um in Archiven und Bibliotheken die Recherchen durchzuführen, auf denen er aufgebaut ist. Ein sehr schwieriges, sehr forderndes Kind, mit dem ich einen großen Teil meines Lebens als Erwachsene schwanger gegangen bin, dessen Geburt von der Krankheit eingeleitet wurde, die mich töten wird, und dessen ersten Schrei man Gott weiß wann hören wird. Vielleicht, wenn ich tot bin. (Warum nicht? Die posthumen Werke haben den unschätzbaren Vorteil, einem die Dummheiten oder Gemeinheiten derjenigen zu ersparen, die sich, ohne einen Roman schreiben oder konzipieren zu können, anmaßen, diejenigen zu beurteilen oder gar zu misshandeln, die diese Arbeit tun.) *An jenem 11. September dachte ich daher an mein Kind und sagte mir, als ich den Schock überwunden hatte: »Ich muss vergessen, was geschehen ist und weiter geschieht. Ich muss mich um mein Kind kümmern und basta. Sonst verliere ich es.« Also biss ich die Zähne zusammen und setzte mich an den Schreibtisch. Ich nahm die Seiten des vorigen Tages wieder zur Hand, versuchte, im Geist zu meinen Gestalten zurückzukehren. Geschöpfen aus einer fernen Welt, einer Zeit, zu der es wahrhaftig weder Flugzeuge noch Wolkenkratzer gab. Doch es gelang mir nur sehr kurz. Todesgestank wehte durch die Fenster herein, von den menschenleeren Straßen klang der durchdringende Sirenenton der Krankenwagen herauf, über den Fernseher, den ich aus Angst und Verwirrung angelassen hatte, flimmerten immer wieder die Bilder, die ich vergessen wollte. Und plötzlich verließ ich das Haus. Ich suchte ein Taxi, fand keines, ging zu Fuß in Richtung der Türme, die nicht mehr da waren, und ...*

Danach wusste ich nicht, was tun. Wie mich nützlich machen, zu etwas gut sein. Und genau während ich mich fragte was-soll-ich-tun, was-soll-ich-tun, zeigte mir der Fernseher die Palästinenser, die im Freudentaumel das Blutbad bejubelten. Sieg, Sieg, schrien sie. Dann erzählte mir jemand, dass ihnen in Italien nicht wenige nacheiferten und höhnisch meinten recht-geschieht-es-ihnen-das-geschieht-den-Amerikanern-ganz-recht, und ich stürzte an die Schreibmaschine, so wie ein Soldat, der aus dem Schützengraben auftaucht und dem Feind entgegenstürmt. Ich widmete mich dem Einzigen, wovon ich wirklich etwas verstehe, dem, was ich tun konnte. Schreiben. Hektische, häufig verworrene Notizen, die ich für mich selbst aufs Papier warf, das heißt an mich selbst richtete. Ideen, Überlegungen, Erinnerungen, Beschimpfungen, die von Amerika nach Italien flatterten, von Italien in die moslemischen Länder übersprangen, von den moslemischen Ländern nach Amerika zurückprallten. Gedanken, die ich über Jahre in meinem Herzen und Hirn vergraben hatte, da ich mir sagte, dass-die-Leute-sowieso-taub-sind, nicht-zuhören, nichts-hören-wollen. Jetzt brachen diese Dinge aus mir heraus wie frisches Quellwasser. Sie strömten aufs Papier wie ein Wasserfall, wie unaufhaltsames Weinen. Und lass mich bekennen, was ich immer verborgen gehalten habe. Denn siehst du: Ich vergieße keine Tränen, wenn ich weine. Auch wenn mich ein heftiger physischer Schmerz überfällt, auch wenn mich stechender Kummer quält, meine Tränen sind versiegt. Es handelt sich um eine neurologische Dysfunktion, um eine physiologische Verstümmelung, die ich seit über einem halben Jahrhundert in mir trage. Nämlich seit dem 25. September 1943, einem Samstag, an dem die Alliierten zum ersten Mal Florenz bombardierten und einen Haufen Fehler begingen. Anstatt ihr anvisiertes Ziel zu treffen, die Eisenbahn, die die Deutschen für den Waffen- und Truppentransport benutzten, trafen sie das angrenzende Stadtviertel und den alten Friedhof an der Piazza Donatello. Den Cimitero degli Inglesi, auf dem Elizabeth Barrett Browning begraben liegt. Ich war mit meinem Vater in der Nähe der Kirche Santissima Annunziata, die kaum dreihundert Meter von der Piazza Donatello entfernt ist, als die Bomben zu fallen began-

nen. Schutz suchend flüchteten wir uns ins Innere der Kirche, und ... Ich kannte ihn nicht, den Schrecken eines Bombenangriffs. Es war das erste Mal, dass ich einen Bombenangriff erlebte ... Herrgott! Bei jedem Abwurf bebten die fest gefügten Kirchenmauern wie Bäume im Sturmwind, die Fenster zersprangen, der Fußboden zitterte, der Altar wankte, der Priester schrie: »Jesus! Jesus hilf!« Plötzlich begann ich zu weinen. Ganz still, wohlgemerkt, ganz zurückhaltend. Kein Wimmern, kein Schluchzen. Doch mein Vater bemerkte es dennoch, und in dem Glauben, mir zu helfen, tat er etwas Verkehrtes, armer Papa. Lieber Papa. Er gab mir eine schallende Ohrfeige. Gott, was für eine Ohrfeige. Noch schlimmer. Dann blickte er mir streng in die Augen und zischte: »Ein Mädchen weint nicht.« Deshalb weine ich seit dem 25. September 1943 nicht mehr. Dem Himmel sei Dank, wenn mir einmal doch die Augen feucht werden, sich mir die Kehle zuschnürt. Innerlich aber weine ich mehr als die, deren Tränen fließen, manchmal sind die Dinge, die ich schreibe, wirklich Tränen, und was ich in jenen Tagen schrieb, war wahrhaftig ein unaufhaltsames Weinen. Über die Lebenden, über die Toten. Über die Leute, die lebendig zu sein scheinen, aber in Wirklichkeit tot sind wie die Italiener (und die anderen Europäer), die nicht den Mumm haben, sich zu verändern, ein Volk zu werden, das Respekt verdient. Und auch über mich selbst, dass ich, in der letzten Phase meines Lebens angekommen, erklären muss, warum ich in Amerika im Exil lebe und warum ich heimlich nach Italien reise.

Dann, ich weinte seit einer Woche, kam der Her-

ausgeber der Zeitung nach New York. Er kam, weil er mich überreden wollte, das Schweigen zu brechen, das ich längst gebrochen hatte, und ich sagte es ihm. Ich zeigte ihm sogar die hektischen, verworrenen Notizen, und er war so entzückt, als hätte er Greta Garbo gesehen, die die dunkle Brille abgenommen hat und auf der Bühne der Scala einen schlüpfrigen Striptease vorführt. Oder als sähe er schon das Publikum Schlange stehen, um die Zeitung zu kaufen, Pardon, um das Parkett, die Logen und die Ränge zu stürmen. Entzückt bat er mich weiterzuschreiben, die einzelnen Teile zu verbinden, eine Art Brief an ihn daraus zu machen. Und angestachelt von meiner Bürgerpflicht, von der moralischen Herausforderung, vom kategorischen Imperativ, nahm ich den Vorschlag an. Erneut vernachlässigte ich mein Kind, das ohne Milch und Mama unter den hektischen, verworrenen Notizen schlummerte, und kehrte an die Schreibmaschine zurück, wo sich das unaufhaltsame Weinen in einen Schrei aus Wut und Stolz verwandelte. Ein J'accuse. Eine Anklage an die Italiener und die anderen Europäer, die mir vom Parkett, den Logen und den Rängen der Zeitung her zuhören und vielleicht ein paar Blumen, gewiss aber etliche faule Eier in meine Richtung werfen würden.

Ich arbeitete zwei weitere Wochen. Ohne Pause. Das heißt, fast ohne zu essen, ohne zu schlafen. Ich spürte weder die Müdigkeit noch den Hunger, nein. Ich hielt mich aufrecht mit Zigaretten, mit Kaffee. Und hier muss ich etwas Grundsätzliches klarstellen, ähnlich wie beim Thema Weinen. Schreiben ist eine sehr ernsthafte Sache für mich. Es ist kein Vergnügen oder eine Zerstreuung oder eine Erleichte-

rung. Und zwar, weil ich niemals vergesse, dass die geschriebenen Dinge sehr viel Gutes, aber auch sehr viel Böses anrichten können. Sie können heilen oder töten. Studiere die Geschichte, und du wirst sehen, hinter jeder kollektiven Erfahrung von Gut und Böse steht ein geschriebener Text. Ein Buch, ein Artikel, ein Manifest, ein Gedicht, ein Gebet, ein Lied. (Eine Bibel, eine Thora, ein Koran, ein Das Kapital. Ein Yankee Doodle Dandy, eine Marseillaise, eine Hymne von Mameli, ein Vaterunser.) So schreibe ich nie rasch, wie aus einem Guss. Ich bin eine langsame Schriftstellerin, eine vorsichtige Schriftstellerin. Auch eine, die höchste Ansprüche an sich stellt, immer unzufrieden ist. Ich habe wahrhaftig nichts gemein mit jenen, die sich jedes Mal selbstzufrieden ihres Produkts rühmen, als hätten sie ein Ei gelegt, sich darüber freuen, als hätten sie Ambrosia oder Kölnischwasser gepisst. Zudem habe ich viele Manien. Mir ist die Metrik wichtig, der Satzrhythmus, die Melodie der Seite, der Klang der Wörter. Und wehe den Assonanzen, Reimen, ungewollten Wiederholungen. Die Form liegt mir ebenso am Herzen wie der Inhalt. Ich meine, die Form ist ein Gefäß, dem sich der Inhalt anpasst wie der Wein dem Glas, und diese Symbiose zu gestalten hemmt mich zuweilen. Jetzt dagegen fühlte ich mich kein bisschen gehemmt. Ich schrieb rasch, aus einem Guss, ohne mich um Assonanzen oder Reime oder Wiederholungen zu kümmern, weil die Metrik, das heißt der Rhythmus sich von selbst einstellte, wobei ich mir wie nie zuvor der Tatsache bewusst war, dass Geschriebenes heilen oder töten kann. (Kann Leidenschaft so weit gehen?) Das Schlimme ist, als ich innehielt und bereit war, den Text *abzuschicken, merkte ich, dass ich anstelle eines Artikels ein kleines Buch verfasst hatte. Um ihn der Zeitung zu geben, musste ich ihn kürzen, auf eine annehmbare Länge zusammenstreichen.*

Ich kürzte ihn auf fast die Hälfte. Den Rest verschloss ich in einer Schublade und legte ihn beiseite, zu dem schlafenden Kind. Meterweise Papier, auf dem ich mein Herz ausgeschüttet hatte. Die Seiten über die beiden Buddhas, die in Bamyan gesprengt worden waren, zum Beispiel, und die über meinen Kon-dun. Den Dalai Lama. Die über die drei Frauen, die in Kabul hingerichtet wurden, weil sie zum Friseur gingen, und die über die Feministinnen, die sich einen Dreck scheren um ihre Schwestern in Burkah und Tschador. Die über Ali Bhutto, der mit noch nicht dreizehn Jahren zur Heirat gezwungen wurde, und die über König Hussein, dem ich erzähle, wie die Palästinenser während eines israelischen Bombenangriffs mit mir umgegangen sind. Die über die italienischen Kommunisten, die ein halbes Jahrhundert lang noch schlimmer mit mir umgegangen sind als die Palästinenser, und die über den Cavaliere Silvio Berlusconi, der Italien regiert. Die über die Freiheit, die als Zügellosigkeit gedeutet wird, über die Pflichten, die zugunsten der Rechte vergessen werden. Die über die ignoranten Weichlinge von heute. Das heißt über die vom Wohlstand, von der Schule, von den Eltern verwöhnte Jugend, von einer Gesellschaft, die nicht funktioniert. Die über die Fähnchen im Wind von gestern, heute und morgen … Ich nahm sogar die Abschnitte über den Feuerwehrmann Jimmy Grillo heraus, der nicht aufgibt, und über Bobby, den New Yorker Jungen, der an das Gute, an die Tapferkeit glaubt. Und dennoch war der Text entsetzlich lang. Der entzückte Herausgeber versuchte mir zu helfen. Aus den beiden ganzen Seiten, die er für mich reserviert hatte, wurden drei dann vier dann viereinviertel. Ein, glaube ich, nie da gewesener Raum für einen einzigen Artikel. Vermutlich in der Hoffnung, ich würde ihm den Text komplett geben, bot er mir sogar an, ihn in zwei Teilen zu veröffentlichen. In zwei Ausgaben. Das lehnte ich ab, weil man einen Schrei nicht in zwei Teilen veröffentlichen kann. Mit einer Veröffentlichung in zwei Folgen hätte ich nicht das Ziel erreicht, das ich mir gesetzt hatte, nämlich zu versuchen, den Leuten, die nicht sehen und hören wollen, Augen und Ohren zu öffnen, diejenigen, die nicht denken wollen, zum Denken anzuregen. Bevor ich den Artikel abgab, kürzte ich ihn daher sogar noch mehr. Ich strich die heftigsten Teile heraus. Vereinfachte die kompliziertesten Passagen. Um sich verständlich zu machen, muss man schon einigermaßen konsequent vorgehen, nicht wahr? In der Schublade bewahrte ich ja die vielen Meter Papier der intakten Niederschrift auf: den vollständigen Text, das kleine Buch.

Die Seiten, die auf dieses Vorwort folgen, sind das kleine Buch. Der komplette Text, den ich in den zwei Wochen schrieb, als ich weder aß noch schlief, mich mit Kaffee und Zigaretten wachhielt und die Worte wie frisches Quellwasser hervorsprudelten, wie ein Wasserfall, besser, wie ein unaufhaltsames Weinen herausströmten. Korrekturen gibt es wenige. (Im Alter von vierzehn Jahren wurde ich, nur als ein Beispiel, mit fünfzehntausendsechshundertsiebzig Lire aus dem italienischen Heer entlassen, während ich die Sum-

me in der Zeitung fälschlich mit vierzehntausendfünfhundertvierzig beziffert hatte.) Kürzungen diesmal gar keine, von einigen überflüssig gewordenen Dingen abgesehen. Zum Beispiel dem Namen der Zeitung, die meinen Artikel veröffentlicht hat, und dem ihres Herausgebers, mit dem ich (wie man bald sieht) nicht mehr rede. Sic transit gloria mundi. Ein lateinischer Ausdruck, der besagt: So vergeht die Herrlichkeit der Welt.

* * *

Ich weiß nicht, ob dieses Buch eines Tages wachsen wird. Dieser deutschen Ausgabe habe ich hier und da einige Seiten hinzugefügt, einige Sätze, einige Ideen, es ist also schon gewachsen. Ich weiß aber, dass ich mir bei seiner Veröffentlichung, und sei es nur diese Übersetzung, vorkomme wie Salvemini, der am 7. Mai 1933 in einem Saal des Irving Plaza über Hitler und Mussolini spricht. Vor einem Publikum, das ihn nicht versteht, ihn aber am 7. Dezember 1941 verstehen wird, das heißt an dem Tag, an dem die mit Hitler und Mussolini verbündeten Japaner Pearl Harbor bombardieren werden, redet er sich die Kehle wund und schreit: »Wenn ihr untätig zuschaut, wenn ihr uns nicht helft, werden sie früher oder später auch euch angreifen!« Allerdings gibt es einen Unterschied zwischen meinem kleinen Buch und dem antifascist-meeting im Irving Plaza. Über Hitler und Mussolini wussten die Amerikaner damals wenig. Sie konnten sich den Luxus erlauben, nicht allzu sehr an die Worte dieses Flüchtlings zu glauben, der ihnen von Freiheitsliebe beseelt schreck-

liches Unglück vorhersagte. Über den islamischen Fundamentalismus dagegen wissen wir heute alles. Keine zwei Monate nach der Katastrophe von New York bewies Bin Laden selbst, dass ich nicht zu Unrecht schreie: »Versteht ihr denn nicht, wollt ihr nicht verstehen, dass ein Umgekehrter Kreuzzug im Gang ist. Ein Religionskrieg, den sie Jihad, Heiligen Krieg, nennen. Versteht ihr denn nicht, wollt ihr nicht verstehen, dass der Westen für sie eine Welt darstellt, die erobert bestraft zum Islam bekehrt werden muss.« Er bewies es während der Fernsehansprache, bei der er einen schwarzen Ring zur Schau trug, dem Schwarzen Stein ähnlich, der in Mekka verehrt wird. In dieser Ansprache bedrohte er sogar die UNO und bezeichnete deren Generalsekretär Kofi Annan als »Kriminellen«. In dieser Ansprache schloss er die Italiener, die Engländer und die Franzosen in die Liste der zu züchtigenden Feinde mit ein. Dieser Ansprache fehlte nur die hysterische Stimme Hitlers oder die ordinäre Stimme Mussolinis, der Balkon am Palazzo Venezia oder die Tribüne auf dem Alexanderplatz. »Im Wesentlichen ist dies ein Religionskrieg, und wer das bestreitet, lügt«, sagte Bin Laden. »Alle Araber und alle Moslems müssen Partei ergreifen, wenn sie neutral bleiben, verleugnen sie den Islam«, sagte er. »Die arabischen und moslemischen Staatsoberhäupter, die in der UNO sitzen und deren Politik akzeptieren, stellen sich außerhalb des Islam, es sind Ungläubige, die die Botschaft des Propheten nicht achten«, sagte er. »Diejenigen, die sich auf die Rechtmäßigkeit der internationalen Institutionen beziehen, verzichten auf die einzige und authentische Rechtmäßigkeit, die Rechtmäßigkeit, die vom Koran kommt.« Und weiter: »Die große Mehrheit der Moslems auf der Welt war zufrieden mit den Angriffen auf die Zwillingstürme. Das zeigen die Umfragen.«

Waren diese Pünktchen auf dem »i« überhaupt noch nötig? Von Afghanistan bis zum Sudan, von Indonesien bis Pakistan, von Malaysia bis zum Iran, von Ägypten bis zum Irak, von Algerien bis zum Senegal, von Syrien bis Kenia, von Libyen bis zum Tschad, vom Libanon bis Marokko, von Palästina bis zum Jemen, von Saudi-Arabien bis Somalia wächst zusehends der Hass auf den Westen. Er lodert wie ein vom Wind angefachtes Feuer, und die Anhänger des islamischen Fundamentalismus vermehren sich wie die Protozoen einer Zelle, die sich teilt, damit zwei Zellen daraus werden dann vier dann acht dann sechzehn dann zweiunddreißig. Und so weiter. Wer das im Westen nicht begreift, möge sich die Bilder ansehen, die uns das Fernsehen jeden Tag zeigt. Die Massen, die die Straßen von Islamabad, die Plätze von Nairobi, die Moscheen von Teheran überschwemmen. Die wütenden Gesichter, die drohenden Fäuste, die Plakate mit dem Bild von Bin Laden. Die Scheiterhaufen, auf denen die amerikanische Fahne brennt und die Puppe mit den Gesichtszügen von Präsident Bush. Die Blinden im Westen mögen sich das Jubelgeschrei über den Barmherzigen-und-zornigen-Gott anhören oder ihre Rufe Allah-akbar, Allah-akbar. Jihad-Krieg Heiliger-Jihad. Von wegen extremistische Randgruppen! Von wegen fanatische Minderheit! Millionen über Millionen sind sie, die Extremisten. Millionen über Millionen sind sie, die Fanatiker. Millionen über Millionen, für die Usama Bin Laden, lebendig oder tot, eine Khomeini ebenbürtige Legende ist. Millionen über Millionen, die nach

Khomeinis Tod in ihm ihren neuen Führer, ihren neuen Helden erkannten. Gestern Abend sah ich Bilder von Moslems in Nairobi, einem Ort, von dem nie gesprochen wird. Sie drängten sich auf dem Marktplatz, mehr als in Gaza oder Islamabad oder Jakarta, und dann interviewte der Fernsehreporter einen alten Mann. Er fragte ihn: »Who is for you Bin Laden, wer ist Bin Laden für Sie?« »A hero, our hero! Ein Held, unser Held!«, antwortete der Alte, glücklich. »And if he dies, und wenn er stirbt?«, fragte der Reporter weiter. »We find another one, wir finden einen anderen«, erwiderte der Alte, ebenso glücklich. Anders gesagt, der Mann, der sie von Mal zu Mal anführt, ist nur die Spitze des Eisbergs: der Teil des Berges, der aus dem Abgrund aufragt. Und der wahre Protagonist dieses Krieges ist nicht er. Es ist nicht der sichtbare Teil, die Spitze des Eisbergs. Der Protagonist ist der überflutete, daher unsichtbare Teil des Berges. Ist jener Teil, der sich seit eintausendvierhundert Jahren nicht bewegt, nicht aus den Abgründen seiner Blindheit auftaucht, den Errungenschaften der Zivilisation seine Türen nicht öffnet, nichts wissen will von Freiheit und Gerechtigkeit und Demokratie und Fortschritt. Der Berg, der trotz des skandalösen Reichtums seiner Beherrscher (denkt an Saudi-Arabien) noch in mittelalterlichem Elend lebt, noch im Obskurantismus und Puritanismus einer Religion dahinvegetiert, die nichts als Religion hervorzubringen versteht. Der Berg, der im Analphabetismus ertrinkt (in den moslemischen Ländern bewegt sich die Analphabetismusrate zwischen sechzig und achtzig Prozent), sodass die »Nachrichten« nur in Form von Karikaturen oder den Lügen der Mullahs zugänglich sind. Der Berg, schließ-

lich, der uns die Schuld für seine materielle und intellektuelle Armut, seine Rückständigkeit und seinen Verfall in die Schuhe schiebt, da er insgeheim neidisch auf uns ist, sich insgeheim von unserer Lebensart angezogen fühlt. Der Optimist, der glaubt, der Heilige Krieg sei mit der Zerschlagung des Taliban-Regimes in Afghanistan zu Ende gegangen, der irrt sich. Der Optimist, der sich von den Bildern der Frauen in Kabul, die keine Burkah mehr tragen und mit unbedecktem Gesicht das Haus verlassen, die wieder zum Arzt, in die Schule und zum Friseur gehen können, blenden lässt, der irrt sich. Der Optimist, der sich damit zufrieden gibt, dass sich die afghanischen Männer nach der Niederlage der Taliban die Bärte kürzten oder abrasierten, so wie die Italiener nach dem Fall Mussolinis das faschistische Abzeichen ablegten, der irrt sich.

Er irrt sich, weil der Bart nachwächst und die Burkah wieder getragen werden wird: In den letzten zwanzig Jahren gab es in Afghanistan häufige Wechsel zwischen abrasierten und nachwachsenden Bärten, abgenommenen und wieder umgelegten Burkahs. Er irrt sich, weil die derzeitigen Sieger genauso zu Allah beten wie die Besiegten, weil sie sich eigentlich nur in der Frage des Bartes von den momentan Besiegten unterscheiden, und in der Tat fürchten die Frauen die einen genauso wie die anderen. Die derzeitigen Sieger verbünden sich mit den Besiegten, befreien sie wieder und lassen sich für eine Hand voll Dollar bestechen. Gleichzeitig bekriegen sie sich wild untereinander, wodurch sie Chaos und Anarchie Vorschub leisten. Doch vor allem irrt er sich, der Optimist, weil unter den neunzehn Kamikaze von New York und Washington kein einziger Afghane war und es für die zukünftigen Kamikaze andere Orte gibt, wo sie trainieren können, andere Höhlen, in die sie sich flüchten können. Schau die Landkarte an: Im Süden von Afghanistan liegt Pakistan, im Norden liegen die moslemischen Staaten der ehemaligen UdSSR, im Westen der Iran. Neben dem Iran liegt der Irak, daneben Syrien, und neben Syrien der Libanon, der mittlerweile auch moslemisch ist. Neben dem Libanon liegt das moslemische Jordanien, daneben das ultramoslemische Saudi-Arabien, und jenseits des Roten Meeres liegt der afrikanische Kontinent mit all seinen moslemischen Ländern. Ägypten und Libyen und Somalia, um nur einige aufzuzählen. Mit seinen alten und jungen Leuten, die dem Heiligen Krieg applaudieren. Im übrigen ist der Konflikt zwischen uns und ihnen nicht militärischer Art. Es ist ein kultureller, ein intellektueller, ein religiöser, ein moralischer, ein politischer Konflikt (ein Konflikt, der zwischen demokratischen und tyrannischen Ländern besteht und immer bestehen wird), und unsere militärischen Siege können die Offensive ihres unheilvollen Terrorismus nicht stoppen. Im Gegenteil, sie fordern sie heraus, verschärfen sie, verstärken sie. Das Schlimmste steht uns noch bevor: die Wahrheit. Und die Wahrheit liegt nicht notwendig in der Mitte. Manchmal ist sie ganz auf einer Seite. Auch Salvemini sagte das bei seinem antifascist-meeting im Irving Plaza.

* * *

Trotz der grundsätzlichen Ähnlichkeit besteht noch ein weiterer Unterschied zwischen diesem kleinen Buch und dem antifascist-meeting im Irving Plaza. Denn die Amerikaner, die am 7. Mai 1933 Salvemini zuhörten und ihn nicht oder kaum verstanden (genau wie ich heute nicht oder kaum verstanden werde), hatten Hitlers SS und Mussolinis Schwarzhemden nicht direkt vor der Haustür. Ein Ozean aus Wasser und Isolationismus lenkte sie von der Wahrheit ab, rechtfertigte ihre Skepsis. Die Italiener und die anderen Europäer hingegen haben Bin Ladens SS und Schwarzhemden in ihren Städten und Dörfern und Büros und Schulen. In ihrem Alltag, in ihrem Land. Sie sind überall, diese neuen SS-Leute, diese neuen Schwarzhemden. Beschützt vom Zynismus oder dem Opportunismus, der Berechnung oder der Dummheit derjenigen, die sie uns als Unschuldsengel darstellen. Die-Armen, die-Armen, schau-nur-wie-Leid-sie-mir-tun-wenn-sie-aus-ihren-Schlauchbooten-steigen. Du-Rassistin, du-Rassistin, du-Böse, du-Böse, du-kannst-sie-nur-nicht-ausstehen. Nun ja: Wie ich schon in dem in der Zeitung erschienenen Artikel sagte, wimmelt es in den Moscheen, die vor allem in Italien im Schatten unseres vergessenen Laizismus und unseres deplatzierten Pazifismus aus dem Boden schießen, bis zum Überdruss von Terroristen oder solchen, die es werden wollen. Nicht zufällig wurden einige davon nach dem Blutbad von New York verhaftet. Mit Hilfe der englischen, französischen, spanischen und deutschen (eigentlich sehr schüchternen) Polizei wurden einige Depots voll Waffen und Sprengstoff ausgehoben, die zu Ehren des Barmherzigen-und-zornigen-Gottes zum Einsatz kommen sollten. Außerdem einige Al Qaida-Zellen. Und jetzt weiß man, dass das FBI seit 1989 von einer Italienischen Spur oder vielmehr von Italian Militants spricht. Man weiß, dass die Mailänder Moschee schon damals als Hort islamischer Terroristen bekannt war. Man weiß auch, dass der Mailänder-Algerier Ahmed Ressan in Seattle mit sechzig Kilo chemischer Substanzen zur Herstellung von Sprengstoff erwischt wurde. Man weiß, dass zwei weitere »Mailänder« namens Atmani Saif und Fateh Kamel in das Attentat auf die Metro in Paris verwickelt waren. Man weiß, dass diese Unschuldsengel von Mailand aus häufig nach Kanada fuhren … (Welch ein Zufall: Zwei der neunzehn Flugzeugentführer vom 11. September 2001 waren aus Kanada in die USA eingereist.) Man weiß, dass Mailand und Turin seit je Zentralen der Umverteilung und Rekrutierung islamischer Extremisten waren, Kurden eingeschlossen. (Ein pikantes Detail in dem Skandal um Öcalan, den kurdischen Superterroristen, der von einem kommunistischen Abgeordneten nach Italien geholt und von der Regierung der Olivenbaum-Koalition in einer schönen Villa am Stadtrand von Rom beherbergt wurde.) Man entdeckt, dass Mailand, Turin, Rom, Neapel und Bologna seit je die Epizentren des internationalen islamischen Terrorismus waren. Dass auch Como, Lodi, Cremona, Reggio Emilia, Modena, Florenz, Perugia, Triest, Ravenna, Rimini, Trani, Bari, Barletta, Catania, Palermo und Messina seit je Bin Ladens Leuten Unterschlupf geboten haben.

Die Rede ist von Operativen Netzwerken, von Logistischen Stützpunkten, von Zellen für Waffenhandel, von der Italienischen Struktur als einer Basis für die Homogene Internationale Strategie. (Irgendjemand sollte mir erzählen, ob dasselbe in Frankreich, in Deutschland, in England, in Spanien et cetera passiert. Ich denke schon: Es passiert.) Es stellt sich heraus, dass die schlimmsten Terroristen häufig einen ordnungsgemäß von den europäischen Regierungen verlängerten Pass besitzen, einen Personalausweis, eine Aufenthaltserlaubnis. Lauter Dokumente, die das Innenministerium mit beachtlicher Nonchalance und Großzügigkeit ausstellte …

Jetzt kennt man auch ihre Treffpunkte. Und in Italien sind es nicht wie im Risorgimento die Salons der patriotischen Gräfinnen: die Paläste, in denen unsere Großväter, immer in der Gefahr, vor einem Erschießungskommando oder am Galgen zu landen, konspirierten, um das Vaterland von der Fremdherrschaft zu befreien. Es sind die Schlachtereien halal, das heißt die islamischen Schlachtereien, die sie überall in Italien eingerichtet haben, da sie nur Fleisch von Tieren essen, denen die Kehle durchgeschnitten wurde, wonach man sie ausbluten lässt und entbeint. (Wer Fleisch wie wir mit Blut und Knochen zubereitet, ist daher ein Ungläubiger, der bestraft werden muss.) Doch man trifft sie auch in den arabischen Garküchen. Man trifft sie in den Cyber-Cafés, die ihren Gästen Computer zur Internet-Benutzung zur Verfügung stellen. Und natürlich in den Moscheen. Was die Imams in den Moscheen angeht, halleluja! Stolz auf das Blutbad in New York, haben sie die Masken fallen lassen.

Und die Liste ist lang. Auf ihr steht zum Beispiel in Italien der marokkanische Schlachter, den die Journalisten mit entmutigender Hochachtung als Religiöses Oberhaupt der Islamischen Gemeinde in Turin betiteln. Der fromme Kälberschinder, der 1989 mit einem Touristenvisum nach Turin kam und der mehr als jeder andere dazu beitrug, die Stadt von Cavour und Costanza d'Azeglio in eine kasbah zu verwandeln, indem er dort zwei halal-Schlachtereien sowie fünf Moscheen eröffnete. Der fromme Saladin, der heute, Bin Ladens Bild hochhaltend, erklärt: »Der Jihad ist ein gerechter und gerechtfertigter Krieg. Nicht ich sage das, es steht im Koran. Viele Brüder hier aus Turin würden gern aufbrechen und sich dem Kampf anschließen.« (Herr Innenminister oder vielmehr Herr Außenminister, warum schicken Sie ihn nicht zurück nach Marokko, zusammen mit seinen kampflustigen Brüdern?) Die Liste umfasst auch den Imam und Vorsitzenden der Islamischen Gemeinde von Genua, einer anderen ehrwürdigen Stadt, die geschändet und in eine kasbah verwandelt wurde, sowie seine Kollegen in Neapel, Rom, Bari und Bologna. Lauter schamlose Verehrer Bin Ladens, und der schamloseste von allen ist der Imam von Bologna, dessen außerordentlicher Intelligenz wir folgendes Urteil verdanken: »Die beiden Türme hat die amerikanische Rechte auf dem Gewissen, die Bin Laden als Strohmann benutzt. Falls es nicht die amerikanische Rechte war, war es Israel. Jedenfalls ist es nicht Bin Ladens Schuld: Es ist Amerikas, Bin Laden ist unschuldig.«

Hört sich an, als sei er ein Idiot und basta, nicht wahr? Aber nein. Jeder islamische Theologe kann dir er-

klären, dass der Koran zur Verteidigung des Glaubens auch Lüge, üble Nachrede und Heuchelei erlaubt. Und am 10. September 2001, also vierundzwanzig Stunden vor dem New Yorker Blutbad, hat die Polizei in der Moschee von Bologna tatsächlich ein Flugblatt konfisziert, in dem die Attentate verherrlicht und »das Bevorstehen eines außerordentlichen Ereignisses« angekündigt wurden. Sagt das nichts über die Imams aus? Ihre Sympathisanten und Beschützer in Europa, nicht selten Kinder und Enkel der Kommunisten, die die von Stalin verübten Gräuel bestritten oder guthießen, behaupten, dass der Imam in der islamischen Hierarchie eine harmlose und unbedeutende Gestalt sei. Jemand, der sich darauf beschränkt, das Freitagsgebet zu leiten, ein Priester ohne die geringste Macht. Weit gefehlt. Der Imam ist ein Würdenträger, der seine Gemeinde voll verantwortlich anführt und verwaltet. Kälberschinder oder nicht, frommer Saladin oder nicht, er ist ein hoher Priester, der die Gedanken und Taten seiner Gläubigen nach Gutdünken manipuliert oder beeinflusst: ein Agitator, der in seiner Predigt politische Botschaften lanciert, die Gläubigen drängt, das zu tun, was er will. Alle Revolutionen (sic) des Islam haben dank der Imams in den Moscheen begonnen. Die Iranische Revolution (sic) begann dank der Imams in den Moscheen, nicht an den Universitäten, wie ihre europäischen Sympathisanten und Beschützer uns heute glauben machen möchten. Hinter jedem islamischen Terroristen steht notwendigerweise ein Imam, und ich erinnere daran, dass Khomeini ein Imam war. Ich erinnere daran, dass die Revolutionsführer im Iran Imams waren. Ich erinnere daran und behaupte, dass die

Imams auf die eine oder andere Art die geistigen Oberhäupter des Terrorismus sind.

Was den mit Pearl Harbor vergleichbaren Angriff betrifft, der diesmal dem gesamten Westen droht, muss gesagt werden: Daran dass chemische und biologische Kriegsführung zur Strategie der neuen Nazi-Faschisten gehört, besteht kein Zweifel. Ein zorniger Bin Laden hat sie uns versprochen, während Kabul bombardiert wurde, und es ist bekannt, dass Saddam Hussein seit je eine Schwäche für diese Art von Massaker besitzt. Obwohl die Amerikaner 1991 tonnenweise Bomben auf seine Labors und seine Fabriken abwarfen, produziert der Irak weiterhin Keime und Bakterien und Bazillen, um Beulenpest, Pocken, Lepra, Typhus zu verbreiten. Und vergessen wir nicht die Enthüllung seines Schwiegersohns, der 1998 sagte, bevor Saddam ihn 1999 ermorden ließ: »Bei Bagdad haben wir riesige Anthraxlager.« Und neben den riesigen Anthraxlagern Unmengen von Nervengas. (Ein Alptraum, den ich während des Golfkriegs in Saudi-Arabien von nahem kennen lernte und den die Iraner in den Achtzigern mit Tausenden Toten bezahlten: erinnerst du dich?) Nun, der chemische Krieg ward bis heute nicht gesehen, und der biologische hat sich auf den Milzbrand der Anthrax Letters beschränkt, die von Zeit zu Zeit in Amerika kursieren. Dass Saddam Hussein oder Bin Laden die Verantwortung dafür tragen, ist außerdem nicht bewiesen. Doch das Pearl Harbor, von dem ich spreche, birgt noch eine andere Gefahr, die uns hier den Atem verschlägt, seit das FBI sie mit den schrecklichen Worten angekündigt hat: »It is not a matter of If, it is a matter of When. Es ist keine Frage des Ob, sondern eine Frage des

Wann.« Ein Angriff, den ich viel mehr fürchte als Anthrax, als die Beulenpest, als Lepra oder als Nervengas. Ein Angriff, der Europa viel mehr bedroht als Amerika. Der Angriff auf die antiken Denkmäler, auf die Kunstwerke, auf die Schätze unserer Geschichte und unserer Kultur.

Wenn die Amerikaner sagen when-not-if, denken sie natürlich an ihre eigenen Schätze. An die Freiheitsstatue, an das Jefferson Memorial, an den Obelisken in Washington, an die Liberty Bell, das heißt die Glocke von Philadelphia, an die Golden Gate Bridge in San Francisco, die Brooklyn Bridge etc. Recht haben sie. Auch ich denke daran. Genauso wie ich an den Big Ben in London und an die Westminster Abbey denken würde, wenn ich Engländerin wäre. An Notre Dame, den Louvre, den Eiffelturm, die Schlösser an der Loire, wenn ich Französin wäre. Doch ich bin Italienerin, daher denke ich vor allem an die Sixtinische Kapelle und die Kuppel des Petersdoms und das Kolosseum. An die Seufzerbrücke und den Markusplatz und die Palazzi am Canale Grande. An den Mailänder Dom und die Brera-Pinakothek und Leonardo da Vincis Codex Atlanticus. Ich stamme aus der Toskana, daher denke ich vor allem an den Schiefen Turm von Pisa und seine Piazza dei Miracoli, an den Dom von Siena und seine Piazza del Campo, an die etruskischen Nekropolen und die Türme von San Gimignano. Ich bin Florentinerin, daher denke ich am allermeisten an den Dom Santa Maria del Fiore, an das Baptisterium, an den Campanile von Giotto, an den Palazzo della Signoria, an die Uffizien, an den Palazzo Pitti und den Ponte Vecchio, übrigens die einzige noch erhaltene alte Brücke von Florenz, denn die Brücke Santa Trinita ist eine Rekonstruktion. Bin Ladens Großvater, will sagen Hitler, hat sie 1944 in die Luft gesprengt. Ich denke auch an die uralten Bibliotheken mit den illuminierten Handschriften aus dem Mittelalter und den Codex Virgilianus. Ich denke zudem an die Galleria dell' Accademia, wo Michelangelos David steht. (Empörend nackt, mein Gott, und daher den Anhängern des Koran ein besonderer Dorn im Auge.) Neben dem David die vier Gefangenen sowie die Kreuzesabnahme, die Michelangelo im greisen Alter schuf. Und wenn die verfluchten Söhne Allahs mir auch nur einen dieser Schätze zerstörten, würde ich zur Mörderin. Hört mir also gut zu, Gläubige eines Gottes, der ein Auge-um-Auge-und-Zahn-um-Zahn empfiehlt. Ich bin nicht mehr zwanzig, aber im Krieg bin ich geboren, im Krieg bin ich aufgewachsen, im Krieg habe ich den größten Teil meines Lebens verbracht. Auf ihn verstehe ich mich. Und Mumm habe ich mehr als ihr, ihr Heuchler und Feiglinge, die ihr Tausende von Menschen einschließlich vierjähriger kleiner Mädchen ermorden müsst, um den Mut zum Sterben aufzubringen. Hört mir gut zu, trotz all dem, was ich über die kulturelle intellektuelle religiöse moralische politische, kurz, nichtmilitärische Kollision schrieb, sage ich jetzt Folgendes: »Krieg habt ihr gewollt, Krieg wollt ihr? Einverstanden. Was mich betrifft, sollt ihr ihn haben.« Bis zum letzten Atemzug.

* * *

Dulcis in fundo. Diesmal mit einem Lächeln. Und selbstverständlich verbirgt sich manchmal hinter dem Lä-

cheln, wie auch beim Lachen, etwas ganz anderes ... (Eines Tages, von da an war ich erwachsen, entdeckte ich, dass mein Vater, während er von den Nazi-Faschisten gefoltert wurde, lachte. So sagte ich eines Sommermorgens, als wir in den Wäldern im Chiantigebiet auf die Jagd gingen, zu ihm: »Papa, ich muss dich etwas fragen, was mir Kopfzerbrechen bereitet. Ist es wahr, dass du bei den Folterungen gelacht hast?« Mein Vater schwieg eine Weile, dann sagte er traurig, mit leiser Stimme: »Mein Kind, in manchen Fällen bedeutet Lachen dasselbe wie Weinen. Du wirst sehen.«) Tja, gestern rief mich Professor Howard Gotlieb von der Boston University an, der amerikanischen Universität, die schon seit drei Jahrzehnten meine Arbeiten sammelt und aufbewahrt, er rief an und fragte: »How should we define „The Rage and the Pride", wie sollen wir „Die Wut und der Stolz" bezeichnen?« »I don't know, ich weiß nicht«, erwiderte ich und erklärte ihm, es handele sich freilich nicht um einen Roman und noch weniger um eine Reportage und auch nicht um einen Essay oder Erinnerungen oder ein Pamphlet. Dann dachte ich noch einmal darüber nach. Ich rief ihn zurück und sagte: »Call it a sermon, nennen Sie es eine Predigt.« (Das ist das richtige Wort, glaube ich, denn in Wirklichkeit ist dieses kleine Buch eine Predigt an die Italiener und alle anderen Europäer. Es sollte ein Brief über den Krieg werden, den die Söhne Allahs dem Westen erklärt haben, doch während ich schrieb, ist es nach und nach eine Predigt an die Italiener und alle anderen Europäer geworden.) Heute früh hat Professor Gotlieb mich erneut angerufen und gefragt: »How do you expect the Italians, the Europeans, to take it, wie werden es die Italiener, die Euro-

päer aufnehmen?« »I don't know, ich weiß es nicht«, habe ich geantwortet. »Eine Predigt beurteilt man nach dem, was sie bewirkt, nicht nach dem Beifall oder den Pfiffen, die sie hervorruft. Und es wird etwas Zeit brauchen, bis man die Resultate sieht: Man kann nicht erwarten, nur mit einem kleinen Buch, das in zwei oder drei Wochen aus einem herausgebrochen ist, plötzlich ein Land aufzuwecken, das schläft. »Thus I don't know, Professor Gotlieb, ich weiß es nicht, I really don't know …«

Immerhin weiß ich, dass sich von der Zeitung, als der Artikel darin erschien, in vier Stunden eine Million Exemplare verkauft haben. Ich weiß, dass sich rührende Begebenheiten ereigneten. In Rom zum Beispiel kaufte ein Herr alle Exemplare, die beim Zeitungshändler vorrätig waren (sechsunddreißig Stück), und verteilte sie auf der Straße an die Passanten. In Mailand machte eine Signora Dutzende von Kopien und verteilte sie ebenso. Ich weiß auch, dass Tausende von Italienern an den Herausgeber schrieben, um mir zu danken. (Und ich danke ihnen, ebenso wie dem Herrn aus Rom und der Signora aus Mailand.) Ich weiß, dass die Telefonzentrale und der elektronische Briefkasten der Zeitung drei Tage lang überlastet waren. Ich weiß, dass nur eine Minderheit der Leser nicht mit mir übereinstimmte, dass dies aus der Auswahl von Leserbriefen, die die Zeitung unter Überschriften wie »E l'Italia si divise nel segno di Oriana, Und Italien spaltet sich im Zeichen von Oriana« veröffentlichte, jedoch nicht hervorging. Tja! Wenn das Auszählen der Stimmen keine Meinungsangelegenheit ist und wenn die Gegenstimmen nicht mehr zählen als die Stimmen derer, die mit mir sind, dann scheint es mir ziemlich ungerecht zu behaupten, dass ich Italien gespalten habe. Außerdem braucht Italien gewiss nicht mich, um sich zu spalten, lieber Erfinder jener Überschrift. Italien ist mindestens seit der Zeit der Guelfen und Ghibellinen gespalten, das steht fest. Denken Sie daran, dass 1861, als nach der Proklamation der Einigung Italiens achthundert Garibaldiner nach Amerika eilten, um am Amerikanischen Bürgerkrieg teilzunehmen, sogar sie sich in zwei Parteien spalteten. Denn nicht alle entschieden sich dafür, an der Seite der Nordstaaten zu kämpfen, das heißt in den Einheiten, von denen ich im Zusammenhang mit meinem Exil gesprochen habe. Zur Hälfte schlossen sie sich den Südstaaten an und blieben nicht in New York, sondern in New Orleans. Anstatt den Garibaldi Guards, also dem 39. Infanterieregiment, dessen Parade von Lincoln abgenommen wurde, traten ungefähr vierhundert von ihnen den Garibaldi Guards des Italian Battalion-Louisiana Militia bei, das 1862 zum 6. Infanterieregiment der European Brigade wurde. Auch sie, wohlgemerkt, mit einer weißen und grünen und roten Fahne, die Garibaldi gehört hatte und das Motto trug »Vincere o Morire, Siegen oder Sterben«. Auch sie, wohlgemerkt, zeichneten sich durch große Tapferkeit aus in den Schlachten von First Bull Run, Cross Keys, North Anna, Bristoe Station, Po River, Mine Run, Spotsylvania, Wilderness, Cold Harbor, Strawberry Plain, Petersburg, bis hinauf nach Appomattox. Und wissen Sie, was 1863 passierte, in der schrecklichen Schlacht von Gettysburg, in der, Nord- und Südstaatler zusammengenommen, vierundfünfzigtausend Soldaten ihr Leben ließen? Am 2. Juli um halb vier

Uhr nachmittags standen die dreihundertfünfundsechzig Garibaldi Guards des 39. Infanterieregiments unter dem Befehl des Nordstaaten-Generals Hancock auf einmal den dreihundertsechzig Garibaldi Guards des 6. Infanterieregiments gegenüber, das dem Südstaaten-General Early unterstand. Erstere in blauer Uniform, Zweitere in grauer Uniform, beide mit der weißen und grünen und roten Fahne, die sie in Italien geschwenkt hatten, um die Einheit Italiens zu erkämpfen, geschmückt mit dem Motto: »Vincere o Morire, Siegen oder Sterben«. Mit dem Ruf Schmutzige-Südstaatler die einen und Dreckige-Nordstaatler die anderen stürzten sie sich in einen wütenden Nahkampf um die Eroberung des Hügels, der Cemetery Hill genannt wird, und ermordeten sich gegenseitig. Fünfundneunzig Tote bei den Garibaldinern des 39., sechzig bei den Garibaldinern des 6. Infanterieregiments. Und am nächsten Tag, bei der entscheidenden Schlacht in diesem Tal, beinahe noch einmal so viele. Ohne den Artikel von Oriana Fallaci gelesen zu haben, mein Lieber. Das heißt, ohne dass ich die geringste Schuld daran trage.

Ich weiß auch, dass auf Seiten derjenigen, deren Stimme (anscheinend) so viel mehr zählt als die derjenigen, die gegen mich sind, ein Unglücksrabe geschrieben oder gesagt hat: »Oriana Fallaci spielt die Mutige, weil sie mit einem Bein im Grab steht.« (Ich antworte: O nein, mein Lieber, keineswegs. Ich spiele nicht die Mutige: Ich bin mutig. Im Frieden wie im Krieg. Nach rechts wie nach links. Ich bin es immer gewesen. Und habe immer einen sehr hohen Preis dafür bezahlt, bis hin zu physischen oder moralischen Drohungen, Neid und Gemeinheiten. Lesen Sie mei-

ne Texte wieder, dann werden Sie schon sehen. Was das Bein-im-Grab angeht, naja: ich erfreue mich nicht der allerbesten Gesundheit, wohl wahr. Doch vergessen Sie nicht, Kranke von meiner Sorte bringen schließlich häufig noch andere unter die Erde. Bedenken Sie, und davon spreche ich auch in diesem kleinen Buch, dass ich eines Tages lebendig aus einem Leichenhaus herausgekommen bin, in das man mich geworfen hatte, weil man glaubte, ich sei tot ... Falls mich nicht irgendein Unschuldsengel umbringt, bevor ich ihn umbringe, wetten, dass ich dann noch zu Ihrer Beerdigung komme?) Außerdem weiß ich, dass das hässliche Italien, das kleinmütige Italien, das Italien, das sich immer ans Ausland verkauft hat, das Italien, dessentwegen ich im Exil lebe, nach der Veröffentlichung meines Artikels ein großes Geschrei zugunsten der Söhne Allahs veranstaltet hat. Daraufhin wurde aus dem entzückten ein eingeschüchterter Herausgeber, ein sehr eingeschüchterter, zur Besänftigung räumte er den Zikaden, verleumderischen Stimmen gegen meine mühevolle Arbeit, zu der er mich selbst ermutigt hatte, breiten Raum in seiner Zeitung ein. Und was eine gute Gelegenheit hätte sein können, unsere Kultur zu verteidigen, wurde zu einem Jahrmarkt der jämmerlichen Eitelkeiten. Einem Markt der trostlosen Exhibitionismen und der empörenden Opportunismen. Ich-bin-auch-da. Ich-bin-auch-da. (Unter den Ich-bin-auch-da ein Unverschämter, der in Kambodscha begeistert über Pol Pot geschrieben hatte.) Wie Schatten einer Vergangenheit, die niemals vergeht, haben sie die Flagge des vorgetäuschten Pazifismus gehisst, ein schönes Feuer entfacht, auf dem sie die

Häretikerin verbrannten (oder gern verbrannt hätten.) Und los ging es mit dem Ruf: »Auf den Scheiterhaufen, auf den Scheiterhaufen! Allah Akbar, Allah Akbar!« Und los ging es mit Beschimpfungen, Anklagen, Verurteilungen, einer Flut von Artikeln, die (zumindest in der Länge) dem meinen nachzueifern suchten. Jedenfalls ist mir das berichtet worden von den Ärmsten, die sich die Mühe gemacht haben, sie zu lesen. Ich muss nämlich gestehen, dass ich sie nicht gelesen habe. Und auch nicht lesen werde. Erstens, weil ich solche Reaktionen erwartet hatte und schon im Voraus wusste, worüber die Ich-bin-auch-da ihre Tiraden anstimmen würden, sodass ich keinerlei Neugier verspürte. Zweitens, weil ich den (zu diesem Zeitpunkt noch begeisterten) Herausgeber am Ende meines Artikels schon darauf hingewiesen hatte, dass ich mich an keinerlei lächerlichen Streitereien oder sinnlosen Polemiken beteiligen würde. Drittens, weil die Zikaden unweigerlich Personen ohne Ideen und ohne Eigenschaften sind: Um sich zu produzieren, beißen sich diese frivolen Blutsauger am Schatten dessen fest, der in der Sonne steht, und wenn sie in der Zeitung zirpen, sind sie tödlich langweilig. (Der ältere Bruder meines Vaters war Bruno Fallaci. Ein großer Journalist. Er hasste die Journalisten. Als ich für verschiedene Zeitungen arbeitete, machte er mir immer Vorwürfe, weil ich als Journalistin und nicht als Schriftstellerin tätig war, und er verzieh mir erst, als ich als Kriegsberichterstatterin anfing, doch war er ein großer Journalist. Er war auch ein großer Herausgeber von Zeitungen, von dem man wahrhaftig viel lernen konnte, und wenn er die Grundregeln des Journalismus erläuterte, sagte er: »Vor allem niemals den Leser langweilen!« Die Zikaden jedoch langweilen einen zu Tode.) Letztlich auch, weil ich ein sehr strenges und intellektuell reiches Leben führe: Eine solche Lebensweise lässt keinen Platz für bornierte oder frivole Botschaften, und um sie mir vom Leib zu halten, befolge ich den Rat meines berühmten Landsmannes. Des Verbannten par excellence, Dante Alighieri: »Non ti curar di lor, ma guarda e passa. Kümmere dich nicht um sie, schau hin und schreite vorüber.« Ich gehe sogar noch weiter: Ich schreite vorüber und schaue nicht einmal hin.

Dennoch möchte ich mir den Spaß erlauben, einer von diesen Zikaden zu antworten, wie dem Unglücksraben, der mich schon mit einem Bein im Grab sieht. Einer Zikade, deren Geschlecht und Identität mir gleichgültig sind, von der mir jedoch hinterbracht wurde, sie habe mich, um mein Urteil über die islamische Kultur zu entkräften, beschuldigt, »Tausendundeine Nacht« nicht zu kennen und den Arabern das Verdienst absprechen zu wollen, das Konzept der Null definiert zu haben. O nein, mein Herr oder meine Dame oder mein Weder das Eine Noch das Andere: Ich interessiere mich leidenschaftlich für Mathematik, und den Begriff der Null kenne ich gut. In meinem Buch »Inschallah«, übrigens ein Roman, der auf der Formel von Boltzmann aufgebaut ist (sie besagt Entropie-gleich-Boltzmannkonstante-multipliziert-mit-dem-Logarithmus-naturalis-der-Zerstörungswahrscheinlichkeit), lege ich sogar genau dieses Konzept der Null der Szene zugrunde, in welcher der Sergeant Passepartout tötet. Besser gesagt, ich lege ihr die teuflischste Aufgabe zugrunde, die den Studenten an der Scuo-

la Normale, der Eliteuniversität von Pisa, je zu diesem Konzept gestellt wurde: »Erklären Sie, warum Eins mehr ist als Null.« (So teuflisch, dass man sie ad absurdum führen muss.) Nun, mein Herr oder meine Dame oder mein Weder das Eine Noch das Andere, mit der Behauptung, dass der Begriff der Null der arabischen Kultur zu verdanken sei, können Sie sich nur auf den arabischen Mathematiker Muhammad ibn Musa al-Khwārizimī beziehen, der um 810 n. Chr. in den Mittelmeerländern das Dezimalsystem unter Einbeziehung der Null einführte. Doch Sie irren sich. Muhammad ibn Musa al-Khwārizimī selbst erklärt in seinem Werk, dass das Dezimalsystem unter Bezugnahme auf die Null nicht auf seinem Mist gewachsen ist. Dass das Konzept der Null im Jahr 628 n. Chr. von dem indischen Mathematiker Brahmagupta (dem Verfasser des Astronomie-Traktats »Brahma-Sphuta-Siddhanta«) definiert wurde. Nach Meinung anderer wiederum, das ist wahr, sind die Mayas Brahmagupta zuvorgekommen. Schon zweihundert Jahre früher, heißt es, bezeichneten die Mayas die Geburt des Universums als das Jahr null, den ersten Tag jedes Monats bezeichneten sie mit einer Null, und in den Berechnungen, bei denen eine Zahl fehlte, setzten sie eine Null an die Leerstelle. Nun gut, doch um diese Leerstelle zu füllen, benutzten die Mayas keineswegs den Punkt, den die Griechen benutzt hätten. Sie meißelten oder malten ein Männchen mit zurückgeworfenem Kopf. Und dieses Männchen gibt zu vielen Zweifeln Anlass, mein Herr oder meine Dame oder mein Weder das Eine Noch das Andere. Daher muss ich Ihnen leider mitteilen, dass in der Mathematikge-

schichte neunundneunzig von hundert Fachleuten dem Inder Brahmagupta die Vaterschaft an der Null zuschreiben.

Was »Tausendundeine Nacht« betrifft, so frage ich mich, welche Lästerzunge Ihnen hinterbracht hat, dass ich dieses entzückende Werk nicht kenne. Als ich klein war, schlief ich im Bücherzimmer, wissen Sie: So nannten meine geliebten und mittellosen Eltern ein Wohnzimmerchen, das von auf Raten erworbenen Büchern überquoll. Auf dem Regal über dem winzigen Sofa, das ich Mein-Bett nannte, stand ein dickes Buch mit einer schönen verschleierten Dame auf dem Umschlag, die mich ansah. Eines Abends holte ich es mir und ... Meine Mutter war dagegen. Kaum hatte sie es bemerkt, nahm sie es mir aus der Hand: »Das ist nichts für Kinder!« Doch dann überlegte sie es sich noch einmal und gab es mir zurück. »Lies nur, lies. Ist schon recht.« So wurden die »Geschichten aus Tausendundeiner Nacht« zu den Märchen meiner Kindheit und gehören seitdem zu meinem Bücherschatz. Sie können sie in meinem Haus in Florenz finden, in meinem Landhaus in der Toskana, und hier in New York habe ich drei unterschiedliche Ausgaben. Die dritte auf Französisch. Ich habe sie letzten Sommer bei Ken Gloss gekauft, meinem antiquarischen Buchhändler in Boston, zusammen mit den »Œuvres Complètes« von Madame de La Fayette, gedruckt 1812 in Paris, und mit den »Œuvres Complètes« von Molière, gedruckt 1799 ebenfalls in Paris. Es handelt sich um die Ausgabe, die Hiard, der libraire-éditeur de la Bibliothèque des Amis des Lettres, 1832 mit einem Vorwort von Galland herausgegeben hat. Eine Ausgabe in sieben Bänden, die ich hüte wie meinen Augapfel. Doch ehr-

lich gesagt ist mir nicht danach, diese entzückenden Märchen mit der »Ilias« und der »Odyssee« von Homer zu vergleichen. Mir ist nicht danach, sie mit den »Dialogen« Platons zu vergleichen, mit der »Äneis« von Vergil, den »Bekenntnissen« des Heiligen Augustinus, der »Göttlichen Komödie« von Dante Alighieri, den Tragödien und Komödien von Shakespeare, mit Molière und Rousseau und Goethe und Darwin und so weiter. Das finde ich nicht seriös.

Ende des Lächelns und letzte Richtigstellung.

* * *

Ich lebe von meinen Büchern. Von dem, was ich schreibe. Ich lebe von meinen Autorenrechten, und darauf bin ich stolz. Meine Autorenrechte sind mir wichtig, auch wenn die Prozente, die ein Autor für jedes verkaufte Buch bekommt, sehr bescheiden sind. Geradezu lächerlich. Ein Betrag, der besonders bei Taschenbuchausgaben (bei Übersetzungen ist es noch schlimmer) nicht ausreicht, um auch nur einen halben Bleistift bei einem der Söhne Allahs zu erwerben, die beim Anbieten der Bleistifte den Passanten auf den Bürgersteigen Europas auf die Nerven gehen (und die noch nie etwas von »Tausendundeine Nacht« gehört haben, wette ich). Meine Autorenrechte will ich haben. Ich bekomme sie, und ohne sie wäre übrigens ich es, die Bleistifte auf den Bürgersteigen Europas feilbieten würde. Aber ich schreibe nicht für Geld. Ich habe nie für Geld geschrieben. Nie! Nicht einmal, als ich noch sehr jung war und dringend Geld brauchte, um meine Familie zu unterstützen und mein Medizinstudium an der Uni-

versität zu bezahlen, das damals sehr teuer war. Mit siebzehn wurde ich als Lokalreporterin bei einer Zeitung in Florenz angestellt. Und mit ungefähr neunzehn wurde ich fristlos entlassen, weil ich mich geweigert hatte, nach dem Prinzip des grässlichen Wortes »Lohnschreiber« zu handeln. Tja. Man hatte mir befohlen, einen verlogenen Artikel über die Veranstaltung eines berühmten Politikers zu schreiben, dem gegenüber ich, wohlgemerkt, eine tiefe Antipathie, ja sogar Abneigung hegte (der Vorsitzende der Kommunistischen Partei, Palmiro Togliatti). Ein Text, den ich wohlgemerkt nicht einmal hätte unterschreiben müssen. Empört sagte ich, dass ich keine Lügen schreiben würde. Und der Herausgeber, ein fetter, aufgeblasener Christdemokrat, erwiderte, Journalisten seien Lohnschreiber, die gehalten seien, die Sachen zu schreiben, für die sie bezahlt würden. »Man spuckt nicht auf den Teller, von dem man isst.« Vor Empörung zitternd antwortete ich, dass er von diesem Teller essen möge und dass ich lieber verhungern würde, als eine Lohnschreiberin zu werden, und daraufhin entließ er mich fristlos. Meinen Doktor in Medizin konnte ich auch deshalb nicht machen. Denn plötzlich stand ich ohne das Gehalt da, das ich brauchte, um das Studium zu bezahlen ... Nein, niemand hat mich je dazu gebracht, eine Zeile des Geldes wegen zu schreiben. Alles, was ich in meinem Leben geschrieben habe, hat nie etwas mit Geld zu tun gehabt. Denn mir ist immer klar gewesen, dass man mit dem Schreiben die Gedanken und Taten der Leser mehr beeinflusst als mit Bomben. Und die Verantwortung, die diesem Bewusstsein entspringt, kann man nicht gegen Geld übernehmen. Daher habe ich den Artikel für die Zeitung gewiss nicht wegen des Geldes geschrieben. Die qualvolle Anstrengung, die in jenen Wochen meinen schon kranken Körper noch weiter zerstörte, habe ich gewiss nicht für Geld auf mich genommen. Noch viel weniger habe ich mein Kind, das heißt meinen schwierigen, mich stark in Anspruch nehmenden Roman, schlafen gelegt, um mehr als das bisschen zu verdienen, was durch meine Autorenrechte hereinkommt. Und nun die Schlussfolgerung dieses Vorworts. Eine Schlussfolgerung, die ich besonders hervorheben möchte, weil sie mit einer heutzutage ziemlich unmodernen Problematik verbunden ist, nämlich der Problematik der Würde und der Ethik.

Als der entzückte Herausgeber nach New York kam und mich drängte, das schon gebrochene Schweigen zu brechen, sprach er nicht von Geld. Und ich war ihm dankbar dafür. Ich fand es geradezu elegant, dass er dieses Thema nicht berührte, da es sich ja um eine Arbeit handelte, die nicht nur durch den Tod Tausender verbrannter Menschen entstanden, sondern meinerseits auch mit der Absicht verbunden war, den Tauben die Ohren, den Blinden die Augen zu öffnen, die Leute zum Denken anzuregen et cetera. Einige Tage nach der Veröffentlichung wurde mir jedoch plötzlich mitgeteilt, dass mich eine Entlohnung erwarte. Eine sehr-sehr-sehr-großzügige-Entlohnung. So großzügig (die Höhe des Betrags kenne ich nicht, und ich will sie auch nicht wissen), dass es überflüssig gewesen wäre, mir die teuren Telefongebühren für die Überseegespräche zu erstatten. Nun: Obgleich ich begriff, dass es nach den Gesetzen der Ökonomie richtig war, mich zu bezahlen, obgleich ich begriff, dass die von meinen Widersachern für diese Zeitung geschriebenen

Artikel ordnungsgemäß und teuer bezahlt wurden, lehnte ich die sehr-sehr-sehr-großzügige-Entlohnung ab. Tout-court. Mit Verachtung. Und damit nicht genug. Denn trotz der Ablehnung empfand ich das gleiche Unbehagen wie an dem Tag, als ich mit vierzehn erfuhr, dass die Italienische Armee beabsichtigte, mir den Entlassungssold eines einfachen Soldaten zu bezahlen, weil ich im Corps der Volontari della Libertà (Freiwillige für die Freiheit) gegen die Nazi-Faschisten gekämpft hatte. (Die Episode, die ich in dem kleinen Buch erzähle und die von den fünfzehntausendsechshundertsiebzig Lire handelt, die ich schließlich annahm, um Schuhe zu kaufen, da weder ich noch meine jüngeren Schwestern welche besaßen.)

Nun gut: Ich weiß, dass der Herausgeber sprachlos war, als er meine verächtliche Antwort erhielt. Zur Salzsäule erstarrte wie Lots Weib. Doch sowohl ihm wie dem Leser sagt die Häretikerin: Schuhe besitze ich heute genug. Und wenn ich keine hätte, würde ich lieber barfuß im Schnee gehen als dieses Geld in die eigene Tasche zu stecken. Hätte ich auch nur eine Lira angenommen, hätte ich meine Seele beschmutzt.

Oriana Fallaci

New York, November 2001 und Mai 2002

Du verlangst von mir, diesmal solle ich sprechen. Du verlangst, wenigstens diesmal solle ich das Schweigen brechen, das ich gewählt habe. Das Schweigen, das ich mir seit Jahren auferlege, um mich nicht unter die Zikaden zu mischen. Und ich tue es. Weil ich erfahren habe, dass in Italien einige Leute das Geschehene bejubeln wie vor ein paar Abenden im Fernsehen die Palästinenser von Gaza. »Sieg, Sieg!« Männer, Frauen, Kinder. (Falls jemand, der so etwas tut, als Mann, Frau oder Kind bezeichnet werden kann.) Ich habe erfahren, dass manche Luxuszikaden, Politiker oder angebliche Politiker, Intellektuelle oder angebliche Intellektuelle sowie andere Individuen, die es nicht verdienen, Bürger genannt zu werden, sich im Wesentlichen genauso verhalten. Sie sagen: »Wunderbar. Recht geschieht es ihnen, den Amerikanern.« Und ich bin wütend, sehr wütend. Ich spüre eine kalte, hellsichtige, rationale Wut. Eine Wut, die jeden Abstand, jede Nachsicht ausschließt, die mir befiehlt zu antworten und vor allem, auf diese Leute zu spucken. Ich spucke auf sie. Genauso wütend wie ich, hat die afroamerikanische Dichterin Maya Angelou gestern gebrüllt: »Be angry. It's good to be angry. It's healthy. Seid wütend. Es tut gut, wütend zu sein. Es ist gesund.« Ob es mir gut tut oder nicht, weiß ich nicht. Ich weiß jedoch, dass es ihnen nicht gut tun wird. Ich meine denen, die die Usama Bin Ladens bewundern, die Verständnis, Sympathie oder Solidarität für sie zum Ausdruck bringen. Indem ich mein Schweigen breche, zünde ich eine Bombe, die seit zu langer Zeit gern explodieren möchte. Du wirst schon sehen.

Du willst auch, dass ich erzähle, wie ich diese Apokalypse erlebt habe. Kurz, dass ich Zeugnis ablege. Ich beginne also damit. Ich war zu Hause, meine Wohnung liegt im Zentrum von Manhattan, und gegen neun Uhr hatte ich das Gefühl einer Gefahr, in der ich mich vielleicht nicht unmittelbar befand, die mich aber ganz gewiss etwas anging. Das Gefühl, das man im Krieg, in einer Schlacht hat, wenn man mit jeder Pore seiner Haut die Kugel oder Rakete kommen spürt und die Ohren spitzt und seinem Nachbarn zuruft: »Down! Get down! Runter! Runter auf den Boden!« Ich habe es verdrängt. Ich bin doch nicht in Vietnam, habe ich zu mir gesagt, ich bin doch in keinem der vielen verfluchten Kriege, die seit dem Zweiten Weltkrieg mein Leben gequält haben. Ich bin in

New York, an einem wunderbaren Septembermorgen. Dem 11. September 2001. Doch unerklärlicherweise wollte das Gefühl nicht weichen, und da tat ich etwas, was ich morgens nie tue. Ich schaltete den Fernseher ein. Der Ton war ausgefallen. Aber das Bild war da. Und auf allen Kanälen, davon gibt es hier etwa hundert, sah man einen Turm des World Trade Centers, der etwa vom achtzigsten Stockwerk aufwärts brannte wie ein riesiges Streichholz. Ein Kurzschluss? Ein vom Kurs abgekommenes kleines Flugzeug? Oder ein gezielter Terrorakt? Wie gelähmt saß ich da und starrte auf das Bild, und während ich noch starrte und mir diese drei Fragen stellte, erschien ein Flugzeug auf dem Bildschirm. Weiß, groß. Ein Linienflugzeug. Es flog sehr tief. Und es flog direkt auf den zweiten Turm zu, wie ein Bomber, der sein Ziel ansteuert, sich auf sein Ziel stürzt. Da habe ich begriffen. Ich meine, ich habe begriffen, dass es sich um ein Kamikazeflugzeug handelte und dass mit dem ersten Turm das Gleiche passiert sein musste. Und während mir das klar wurde, kam der Ton wieder. Man hörte einen Chor aus Schreckensschreien. Immer wieder, wie rasend. »God! Oh, God! Oh, God, God, God! Gooooooood! Gott! O, Gott! O, Gott, Gott, Gott! Goooooooott!« Und das weiße Flugzeug drang in den zweiten Turm ein wie eine Messerklinge in ein Stück Butter.

Es war drei Minuten nach neun. Und frag

mich nicht, was ich in jenem Moment und danach empfunden habe. Ich weiß es nicht, ich erinnere mich nicht. Ich war wie versteinert. Auch mein Gehirn war wie versteinert. Ich kann im Nachhinein manche Bilder nicht einmal dem ersten oder zweiten Turm zuordnen. Menschen stürzten sich aus den Fenstern im achtzigsten oder neunzigsten oder hundertsten Stock, um nicht bei lebendigem Leib zu verbrennen, zum Beispiel. Sie schlugen die Scheiben ein, kletterten hinaus und sprangen, wie man mit einem Fallschirm aus dem Flugzeug springt. Zu Dutzenden. Und sie schwebten so langsam herunter. So langsam … Sie bewegten Arme und Beine, sie schwammen in der Luft. Ja, sie schienen in der Luft zu schwimmen. Ungefähr auf der Höhe des dreißigsten Stockwerks wurden sie schneller. Sie begannen, verzweifelt zu gestikulieren, vermutlich bereuten sie ihre Tat, es war, als schrien sie: Help-Hilfe-help! Und vielleicht schrien sie das wirklich. Zuletzt fielen sie wie ein Stein und peng! Heiliger Gott, ich dachte, ich hätte alles im Krieg gesehen. Ich glaubte, ich sei durch den Krieg immun geworden. Und im Wesentlichen bin ich es auch. Nichts überrascht mich mehr. Nicht einmal, wenn ich wütend werde, nicht einmal, wenn ich mich empöre. Doch im Krieg habe ich immer Leute von fremder Hand sterben sehen. Nie habe ich Leute sich umbringen sehen, indem sie ohne Fallschirm aus Fenstern im achtzigsten oder neunzigsten oder hundertsten Stockwerk springen. Immer weiter sprangen welche in die Leere, bis gegen zehn der eine und gegen halb elf der andere Turm einstürzte und … Mein Gott, bei den Leuten, die sterben, weil sie umgebracht werden im Krieg, habe ich immer Sachen gesehen, die explodieren. Die zusammenbrechen, weil sie in die Luft fliegen. Die beiden Türme dagegen sind nicht aus diesem Grund eingestürzt. Der erste Turm brach zusammen, weil er implodiert ist, er hat sich selbst verschluckt. Der zweite, weil er geschmolzen ist, er ist zerflossen, als wäre er tatsächlich ein Stück Butter. Und das alles geschah, zumindest schien es mir so, in einer Grabesstille. Ist das möglich? Herrschte wirklich diese Stille, oder war sie in mir?

Vielleicht war sie in mir. Und umgeben von dieser Stille hörte ich dann die Nachricht von dem dritten Flugzeug, das auf das Pentagon niedergegangen war, und die von dem vierten Flugzeug, das über einem Wald in Pennsylvania abgestürzt war. Umgeben von dieser Stille fing ich an, die Zahl der Toten auszurechnen, und mir stockte der Atem. Denn bei der blutigsten Schlacht, die ich in Vietnam erlebt hatte, einer der Schlachten bei Dak To, gab es vierhundert Tote. Bei dem Blutbad in Mexico City, wo ich selbst drei Kugeln abbekam, eine davon in die Wirbelsäule, war die offizielle Zahl achthundert. Und als mich die angeblichen Retter in dem Glauben, ich sei tot, ins Leichenhaus warfen, schien es mir, als seien die Leichen, die bald auf mich fielen, noch viel mehr. Pass auf, in den Türmen arbeiteten gut fünfzigtausend Menschen. Um neun Uhr war schon rund die Hälfte von ihnen da, und viele konnten nicht rechtzeitig evakuiert werden. Eine erste Schätzung spricht von siebentausend *missing*. Allerdings besteht ein Unterschied zwischen dem zweideutigen Wort *missing*, vermisst, und dem Wort *dead*, tot. In Vietnam unterschied man immer zwischen den *missing* und den *dead* ... Wie dem auch sei! Ich bin überzeugt, dass wir die wahre Zahl der Toten nie erfahren werden. Um das gewaltige Ausmaß dieser Apokalypse nicht zu unterstreichen, verstehst du, um nicht zu weiteren Anschlägen zu ermutigen. Und außerdem sind die beiden Krater, die Tausende von Opfern verschlungen haben, zu tief, zu sehr mit Trümmern verschüttet. Höchstens auf einzelne Körperteile stoßen die Arbeiter beim täglichen Graben. Eine Nase hier, ein Finger dort. Oder auf eine Art Schlamm, der Kaffeepulver zu sein scheint, aber organische Materie ist. Die Reste der Körper, die sich blitzartig auflösten, sind zu Asche verbrannt. Gestern hat Bürgermeister Giuliani zehntausend Plastiksäcke für die Leichen geschickt. Sie wurden aber noch nicht gebraucht.

* * *

Was ich über die Unverwundbarkeit denke, die viele Amerika zuschrieben, was ich für die Kamikaze empfinde, die das getan haben? Für die Kamikaze, nicht den geringsten Respekt. Nicht das geringste Mitleid. Nein, nicht einmal Mitleid. Obwohl ich doch sonst letztlich immer dem Mitleid nachgebe, Mitleid mit allen habe. Die Kamikaze, das heißt die Kerle, die sich umbringen, um andere zu töten, waren mir seit je unsympathisch. Angefangen bei den japanischen Selbstmordattentätern im Zweiten Weltkrieg. Ich habe sie nie mit Pietro Micca verglichen: jenem piemontesischen Soldaten, der am 29. August 1706 das Pulver anzündete, um den Einmarsch der französischen Truppen zu verhindern, und der mit der Zitadelle von Turin in die Luft flog. Ich meine, ich habe sie nie als Soldaten gesehen. Und noch viel weniger sehe ich sie als Märtyrer oder Helden, wie Arafat sie mir gegenüber zeternd und spuckend nannte, als ich ihn 1972 in Amman interviewte (an dem Ort, wo seine Leute auch die Baader-Meinhof-Terroristen ausbildeten). Ich finde sie eitel und basta. Exhibitionisten, die nicht durch Film, Politik oder Sport berühmt werden wollen, sondern vielmehr durch ihren eigenen Tod und den der anderen. Dieser Tod wird ihnen anstelle eines Oscars, eines Ministersessels oder eines Pokals die Bewunderung der ganzen Welt und einen Platz im Djanna einbringen (glauben sie). Im Jenseits, von dem der Koran spricht, im Paradies, wo die Helden mit Urì-Jungfrauen vögeln. Ich wette, dass sie auch, was ihr Aussehen angeht, eitel sind. Ich habe das Foto der beiden vor Augen, die in *Inschallah* vorkommen, meinem Roman, der mit der Zerstörung der US-Militärbasis und der französischen Militärbasis in Beirut (circa vierhundert Tote) beginnt. Bevor sie zum Sterben aufbrachen, hatten sie, die Stutzer, sich knipsen lassen. Und vor dem Fototermin waren sie zum Friseur gegangen, schau nur, welch bildschöner Haarschnitt, welch gepflegte Koteletten, welch schöne pomadisierte Schnurrbärte, welch gelecktes Bärtchen. Was die betrifft, die in die beiden Türme und das Pentagon gerast sind, so finde ich sie besonders hassenswert. Man hat nämlich entdeckt, dass ihr Anführer, Muhammed Attah, zwei Testamente hinterlassen hat. Eines besagt: »Ich will auf meiner Beerdigung keine unreinen Wesen, das heißt Tiere und Frauen.« Das andere besagt: »Auch an meinem Grab will ich keine unreinen Wesen. Vor allem nicht die unreinsten von allen: schwangere Frauen.« Ach, welch ein Trost für mich zu wissen, dass er weder eine Beerdigung noch ein Grab haben wird und dass auch von ihm kein Haar übrig geblieben ist.

Ein Trost, ja, und liebend gern würde ich das Gesicht von Arafat sehen, wenn ich es ihm sagte. Denn wir haben nicht die besten Beziehungen, Arafat und ich. Er hat mir nämlich nie die glühenden Meinungsverschiedenheiten verziehen, die wir bei unserer Begegnung in Amman hatten, und auch ich habe ihm nie etwas verziehen. Auch nicht die Tatsache, dass einem italienischen Journalisten, der sich ihm unvorsichtigerweise als mein Freund vorgestellt hat, zum Empfang die Pistole auf die Brust gesetzt wurde. Daher sprechen wir nicht mehr miteinander und wünschen uns gegenseitig alles Schlechte. Doch wenn ich ihm erneut begegnete oder, besser gesagt, ihm eine Audienz gewährte, würde ich ihm ins Gesicht sagen, wer die Märtyrer und Helden sind. Ich würde zu ihm sagen: Wissen Sie, Herr Arafat, wer die Märtyrer sind? Die Passagiere der vier entführten und in menschliche Bomben verwandelten Flugzeuge, zu denen auch das vierjährige kleine Mädchen gehört, das im zweiten Turm umkam. Die Angestellten, die in den beiden Türmen und im Pentagon arbeiteten. Die dreihundertdreiundvierzig Feuerwehrmänner und sechsundsechzig Polizisten, die bei den Rettungsversuchen umgekommen sind. (Beinahe die Hälfte von ihnen hatte italienische Nachnamen, war also italienischer Abstammung. Darunter ein Vater und sein Sohn: Joseph Angelini senior und Joseph Angelini junior.) Und wissen Sie, wer die Helden sind? Die Passagiere des Flugzeugs, das auf das Weiße Haus stürzen sollte und das stattdessen in einem

Wald in Pennsylvania zerschellt ist, weil sich alle an Bord aufgelehnt haben! Die hätten das Paradies wirklich verdient. Das Schlimme ist, dass Sie jetzt ad perpetuum den Staatschef spielen, den Monarchen, Sie Tyrann. Sie besuchen den Papst, gehen im Weißen Haus aus und ein, Sie unterstützen heimlich den Terrorismus, bekunden Bush Ihr Beileid. Und bei Ihrer chamäleonartigen Fähigkeit, sich geschickt zu widersprechen, würden Sie es auch noch fertig bringen, mir Recht zu geben. Aber reden wir von etwas anderem. Ich möchte lieber auf die Unverwundbarkeit zu sprechen kommen, die alle Amerika zugeschrieben haben.

Unverwundbarkeit? Welche Unverwundbarkeit?!? Je demokratischer und offener eine Gesellschaft ist, umso mehr ist sie dem Terrorismus ausgesetzt. Je freier ein Land ist, das nicht von einem Polizeiregime regiert wird, umso anfälliger ist es für Entführungen oder Massaker, wie sie jahrelang in Italien, in Deutschland und in anderen Regionen Europas stattgefunden haben. Das hat sich jetzt, am 11. September, in riesigem Ausmaß in den Vereinigten Staaten gezeigt. Nicht ohne Grund haben die undemokratischen, von Polizeiregimen regierten Länder immer Terroristen aufgenommen und finanziert und unterstützt. Die Sowjetunion samt ihren Satellitenstaaten und die Volksrepublik China zum Beispiel. Libyen, Irak, Iran, Syrien, Arafats Libanon. Ägypten, wo die islamischen Terroristen sogar Sadat getötet haben. Selbst Saudi-Arabien, dessen offiziell verfemter, wenn auch heimlich geliebter Untertan Usama Bin Laden ist. Pakistan, natürlich Afghanistan, der ganze oder fast ganze Kontinent Afrika ... Hör mir gut zu: Auf den Flughäfen und in den Flugzeugen dieser Länder habe ich mich immer völlig sicher und so geborgen gefühlt wie ein schlafender Säugling. Das Einzige, was ich dort fürchtete, war, verhaftet zu werden, weil ich die Terroristen beschimpfte. Auf europäischen Flughäfen und in europäischen Flugzeugen dagegen war ich immer nervös. Auf amerikanischen Flughäfen und in amerikanischen Flugzeugen, doppelt so nervös. Und in New York, dreimal so nervös. (In Washington nicht. Ich muss zugeben, den Flugzeuganschlag auf das Pentagon hatte ich wirklich nicht erwartet.) Warum, glaubst du, hat mein Unterbewusstsein am Dienstagmorgen diese unerklärliche Angst registriert, dieses Gefühl von Gefahr? Warum, glaubst du, habe ich gegen meine Gewohnheit den Fernseher eingeschaltet? Warum, glaubst du, war unter den drei Fragen, die ich mir stellte, während der erste Turm brannte, auch die nach einem Attentat? Und warum, glaubst du, habe ich sofort gewusst, was los war, als das zweite Flugzeug auftauchte? Da die Vereinigten Staaten das stärkste Land der Welt sind, das reichste, mächtigste, kapitalistischste, sind alle auf die Idee einer vermeintlichen Unverwundbarkeit hereingefallen. Alle, sogar die Amerikaner selbst. Doch die Verwundbarkeit Amerikas erwächst gerade aus seiner Kraft, seinem Reichtum, seiner Macht, seiner Modernität. Die bekannte Geschichte von der Katze, die sich in den Schwanz beißt.

Sie erwächst auch aus dem multiethnischen Charakter Amerikas, aus seiner Liberalität, aus seinem Respekt für die Bürger und Gäste. Ein Beispiel: Etwa vierundzwanzig Millionen Amerikaner sind arabisch-moslemischer Herkunft. Und wenn ein Mustafà oder ein Muhammed aus (sagen wir) Riad oder Kabul oder Algier anreist, um seinen Onkel zu besuchen, verbietet ihm niemand, auf eine Flugschule zu gehen (für nur einhundertsechzig Dollar pro Unterrichtsstunde) und zu lernen, eine 757 zu fliegen. Niemand verbietet ihm, sich an einer Universität einzuschreiben und Chemie und Biologie zu studieren: die beiden Wissenschaften, die man braucht, um einen bakteriologischen Krieg zu entfesseln. Niemand. Auch dann nicht, wenn die Regierung fürchtet, dass diese Söhne Allahs die 757 entführen oder mit Bakterien ein Massaker anrichten. Kehren wir nun nach diesem Einschub zur anfänglichen Überlegung zurück. Welches sind die Symbole der Kraft, des Reichtums, der Macht, des amerikanischen Kapitalismus? Bestimmt nicht Jazz und Rock 'n' Roll, Kaugummi und Hamburger, Broadway und Hollywood, das wirst du wohl zugeben. Es sind die Wolkenkratzer, das Pentagon, die Wissenschaft, die Technologie. Diese beeindruckenden Wolkenkratzer, so hoch, so schön, dass du beinahe die Pyramiden und die göttlichen Paläste unserer Vergangenheit vergisst, wenn du an ihnen hinaufschaust. Diese gigantischen, titanischen, übertriebenen Flugzeuge, die unterdessen Lastwagen und Eisenbahn ersetzen, weil hier alles mit dem Flugzeug bewegt wird: der fangfrische Fisch, die Fertighäuser, die Panzer, das frisch gepflückte Obst, wir selbst. (Und vergiss nicht, dass die Amerikaner den Luftkrieg erfunden oder jedenfalls bis zur Hysterie entwickelt haben.) Dieses Furcht erregende, riesige Pentagon. Diese finstere Festung, die sogar Dschingis Khan und Napoleon Angst eingeflößt hätte. Diese unvergleichliche, unschlagbare Wissenschaft, die uns fremde Galaxien und die Ewigkeit verspricht. Diese allgegenwärtige, alles beherrschende Technologie, die in kürzester Zeit unseren Alltag umgekrempelt hat, unsere jahrhundertealte Art zu denken, zu kommunizieren, zu reisen, zu arbeiten, zu leben. Und wo hat Usama Bin Laden zugeschlagen? Bei den Wolkenkratzern, beim Pentagon. Wie? Mit Flugzeugen, mit Hilfe der Wissenschaft, der Technologie. Apropos: Weißt du, was mich am meisten beeindruckt an diesem Multimilliardär, diesem Explayboy, der heute nicht mehr mit blonden Prinzessinnen flirtet und in Nachtclubs angibt (wie er es mit zwanzig in Beirut und in den Emiraten machte), sondern sich damit amüsiert, im Namen Allahs die Leute umzubringen? Die Tatsache, dass sein unermessliches Vermögen vor allem aus den Einnahmen einer Abbruchfirma stammt und dass er selbst ein Abbruchexperte ist. Abbruch ist eine amerikanische Spezialität ... Hätte ich die Möglichkeit, ihn zu interviewen, würde eine meiner Fragen genau darauf zielen. Eine weitere auf seinen verstorbenen ultrapolygamen Vater, der insgesamt, Söhne und Töchter zusammengenommen, vierundfünfzig Kinder in die Welt gesetzt hat und der von ihm (dem siebzehnten) gerne sagte: Er-war-immer-so-lieb. Der-Sanfteste, der-Gutmütigste. Eine dritte Frage auf seine durchtriebenen Schwestern, die sich in London und an der Côte d'Azur mit unbedecktem Gesicht und Kopf fotografieren lassen, in hautengen T-Shirts und Hosen, die ihre üppigen Busen und ausladenden Hintern gut sichtbar zur Geltung bringen. Eine andere auf seine zahllosen Ehefrauen und Konkubinen: niemals enthüllt. Schließlich käme ich auf die Beziehungen zu sprechen, die er bis heute zu seinem Land unterhält. Saudi-Arabien, das von einem Familienclan grober mittelalterlicher Feudalherren beherrscht wird (sechstausend Prinzen, mein Gott, 6000!). Die Schatzkammer des Mittleren Ostens, die Büchse der Pandora, von der wir wegen des verfluchten Erdöls wie Sklaven abhängig sind. »Herr Bin Laden«, würde ich ihn fragen, »wie viel Geld erhalten Sie, nicht aus Ihrem Privatvermögen, sondern von der königlichen Familie Saudi-Arabiens?« Doch vielleicht sollte ich ihm keine Fragen stellen, sondern ihn vielmehr darüber aufklären, dass er New York nicht in die Knie gezwungen hat. Zu diesem Zweck müsste ich ihm erzählen, was Bobby, ein achtjähriger Junge aus New York, gesagt hat, als er heute zufällig von einem Fernsehjournalisten interviewt wurde. Hier seine Geschichte. Wort für Wort.

»My mom always used to say: „Bobby, if you get lost on the way home, have no fear. Look at the Towers and remember that we live ten blocks away on the Hudson River." Well, now the Towers are gone. Evil people wiped them out with those who were inside. So, for a week I asked myself: Bobby, how do you get home if you get lost now? Yes, I thought a lot about this, but then I said to myself: Bobby, in this world there are good people, too. If you get lost now, some good person will help you instead of the Towers. The important thing is to have no fear.« Ich übersetze: »Meine Mama sagte immer: „Bobby, wenn du dich auf dem Heimweg verläufst, hab keine Angst. Schau zu den Türmen und denk daran, dass wir zehn Blocks weiter am Hudson River wohnen." Nun, jetzt sind die Türme weg. Böse Leute haben sie mit allen, die drin waren, ausradiert. So habe ich mich eine Woche lang gefragt: Bobby, wie findest du jetzt heim, wenn du dich verläufst? Ja, ich habe viel darüber nachgedacht, aber dann habe ich mir gesagt: Bobby, es gibt auch gute Menschen auf dieser Welt. Wenn du dich jetzt verläufst, wird dir schon ein freundlicher Mensch weiterhelfen, anstelle der Türme. Das Wichtigste ist, keine Angst zu haben.«

Doch dieser Geschichte möchte ich noch etwas hinzufügen.

* * *

Als wir uns getroffen haben, habe ich dich staunen sehen angesichts des heroischen Mutes und der bewundernswerten Einigkeit, mit der die Amerikaner dieser Apokalypse entgegengetreten sind. O ja. Trotz der Fehler, die man ihnen immer wieder vorhält, die selbst ich ihnen zum Vorwurf mache (allerdings hat Europa und insbesondere Italien noch viel gravierendere Fehler), sind die Vereinigten Staaten ein Land, von dem wir viel lernen können. Beim Stichwort heroischer Mut will ich ein Loblied singen auf den Bürgermeister von New York. Auf Rudolph Giuliani, dem wir Italiener tausend Mal danken sollten, weil er einen italienischen Namen trägt, italienischer Herkunft ist und uns vor der ganzen Welt gut dastehen lässt. Ja, er ist ein großartiger Bürgermeister, Rudolph Giuliani. Ein Bürgermeister, der des Vergleichs mit einem anderen großartigen Bürgermeisters italienischen Namens würdig ist, Fiorello La Guardia, ein großartiger Bürgermeister, ein erstklassiger: Das sagt eine (ich), die mit nichts und niemand je zufrieden ist, auch nicht mit sich selbst ... Viele europäische und vor allem italienische Bürgermeister müssten bei ihm in die Schule gehen. Mit Asche auf dem Haupt vor ihn hintreten und fragen: »Herr Giuliani, wären Sie so freundlich, uns zu sagen, wie das geht?« Er wälzt seine Pflichten nicht auf Mitmenschen ab. Nein. Er vergeudet keine Zeit mit Dummheiten und Habgier. Er teilt sich nicht auf zwischen seinem Bürgermeisteramt und dem als Minister oder Abgeordneter. (Hört mich etwa jemand in den drei Städten Stendhals, also Neapel und Florenz und Rom? Wo die Bürgermeister sich nicht damit begnügen, ihr Amt auszufüllen, sondern gleichzeitig Abgeordnete oder Minister oder vielleicht auch Führungskräfte sein wollen.) Da er sofort gekommen und sofort in den zweiten Turm hineingegangen ist, wäre er um ein Haar mit den anderen zu Asche geworden. Durch Zufall konnte er sich gerade noch retten. Und innerhalb von vier Tagen hat er New York wieder auf die Beine gestellt. Eine Stadt mit neuneinhalb Millionen Einwohnern, wohlgemerkt, beinahe zwei davon allein in Manhattan. Wie er das gemacht hat, weiß ich nicht. Er ist ebenso krank wie ich, der arme Mann.

Der Krebs, der immer wieder kommt, hat auch ihn erwischt. Und wie ich tut er so, als wäre er kerngesund. Er arbeitet rastlos. Doch ich arbeite am Schreibtisch, Donnerwetter noch mal, im Sitzen! Er dagegen ... Er gleicht einem General, der persönlich an der Schlacht teilnimmt, einem Krieger aus guten alten Zeiten. »Los, Leute, los! Krempeln wir die Ärmel auf, schnell!« Und gestern hat er gesagt: »The first of the Human Rights is Freedom from Fear. Do not have fear. Das erste Menschenrecht ist die Freiheit, keine Angst zu haben. Habt keine Angst.« Aber er kann sich so verhalten, weil die Leute um ihn herum genauso sind wie er. Keine faulen Angeber, sondern tapfere Kerle. Zu ihnen gehört auch der einzige Feuerwehrmann, der den Einsturz des zweiten Turms überlebt hat. Er heißt Jimmy Grillo, ist vierundzwanzig Jahre alt, weizenblond, mit Augen, die so blau sind wie das Meer. Heute Morgen habe ich ihn im Fernsehen gesehen, und er glich einem Ecce-Homo. Verletzungen, Verbrennungen, Schnitte, Verbände. Er wurde gefragt, ob er den Beruf wechseln wird. Er hat geantwortet: »I am a fireman, and all my life I shall be a fireman. Always here, always in New York. To protect my city and my people and my friends. Ich bin Feuerwehrmann und werde mein ganzes Leben lang Feuerwehrmann bleiben. Immer hier, hier in New York. Um meine Stadt, meine Leute und meine Freunde zu schützen.«

Was die bewundernswerte Fähigkeit zusammenzuhalten betrifft, die beinahe martialische Geschlossenheit, mit der die Amerikaner auf Unglücke und Feinde reagieren, nun: Ich muss zugeben, dass ich zuerst auch darüber gestaunt habe. Ich wusste zwar, dass diese Tugend sich schon zur Zeit von Pearl Harbor bewiesen hatte, als das Volk sich um Roosevelt scharte und Roosevelt in den Krieg gegen Hitlers Deutschland, Mussolinis Italien und Hirohitos Japan eintrat. Ich hatte sie gespürt, ja, nach dem Mord an Kennedy. Doch nach dem Attentat auf Kennedy kam der Vietnamkrieg, die tiefe Spaltung, die der Vietnamkrieg auslöste, und sie hatte mich in gewissem Sinne an den Bürgerkrieg von vor hundertfünfzig Jahren erinnert. Als ich sah, wie Weiße und Schwarze sich plötzlich weinend umarmten, ich sage: umarmten, als ich sah, wie Demokraten und Republikaner Arm in Arm »God bless America, Gott segne Amerika« sangen, ich sage: Arm in Arm, als ich sie alle Unterschiede überwinden sah, war ich verblüfft. Ebenso, als ich hörte, wie Bill Clinton (mit dem ich nie sehr zimperlich umgegangen bin) erklärte: »Stehen wir zu Bush, haben wir Vertrauen in unseren Präsidenten.« Ebenso, als die gleichen Worte von seiner Frau Hillary wiederholt wurden: der jetzigen Senatorin des Staates New York. Ebenso, als sie von Lieberman, dem ehemaligen demokratischen Kandidaten für die Vizepräsidentschaft, aufgegriffen wurden. (Nur der unterlegene Al Gore hat schäbigerweise geschwiegen.) Ebenso, als der Kongress einstimmig für den Krieg gestimmt hat, dafür, die Schuldigen zu bestrafen. Ebenso, als ich entdeckt habe, dass der gegenwärtige Wahlspruch der Amerikaner ein lateinisches Motto ist, das besagt: »Ex pluribus unum, aus allen einer.« Kurzum einer für alle. Und als ich erfuhr, dass die Kinder diesen Spruch in der Schule lernen und ihn aufsagen wie wir das Vaterunser ... Oh, wenn Italien den Mumm hätte und diese Lektion lernen könnte! Italien ist ein so geteiltes Land. In so viele Fraktionen gespalten, so vergiftet von selbstsüchtiger Kleinkrämerei! Sogar innerhalb der politischen Parteien hassen sie sich in Italien. Es gelingt ihnen nicht einmal zusammenzuhalten, wenn sie das gleiche Emblem, das gleiche politische Abzeichen tragen. Neidisch, gallenbitter, eitel denken die Italiener nur an ihren persönlichen Vorteil. Sie sorgen sich einzig um ihre eigene kleine Karriere, ihren eigenen kleinen Ruhm, ihre eigene randständige Popularität. Um das alles zu wahren, legen sie sich gegenseitig herein, betrügen einander, klagen einander an, mehr noch als die Ganoven der Französischen Revolution ... Ich bin absolut sicher, wenn Usama Bin Laden den Glockenturm von Giotto oder den Schiefen Turm von Pisa in die Luft sprengen würde, dann würde die Opposition der Regierung die Schuld geben und umgekehrt. Die Regierungschefs und Oppositionsführer würden ihre Genossen und ihre Kameraden beschuldigen.

Doch lass mich nun erklären, woher die Fähigkeit kommt, einig zu sein, geschlossen wie ein Mann auf das Unglück und den Feind zu reagieren, die die Amerikaner auszeichnet.

Sie kommt von ihrem Patriotismus. Ich weiß nicht, ob ihr in Europa gesehen und verstanden habt, was in New York passiert ist, als Bush anreiste, um den Arbeitern (und Arbeiterinnen) zu danken, die in diesem Kaffeepulver suchten, gruben, pflügten in der Hoffnung, jemanden zu bergen, aber nichts als hier eine Nase oder da einen Finger fanden. Ohne sich jedoch entmutigen zu lassen, ohne aufzugeben. Wenn du sie fragtest, woher-sie-die-Kraft-dazu-nahmen, antworteten sie: »I can allow myself to be exhausted, not to be defeated. Ich kann es mir erlauben, erschöpft zu sein, aber nicht, mich geschlagen zu geben.« Alle sagen das, alle. Weiße, Schwarze, Gelbe, Braune, Rote ... Habt ihr sie gesehen oder nicht? Während Bush ihnen dankte, schwenkten sie einmütig amerikanische Fähnchen, hoben die Fäuste und donnerten: »Ju-es-e! Ju-es-e! Ju-es-e!, USA! USA! USA!« In einem totalitären Staat hätte ich gedacht: »Schau, wie gut das Regime das organisiert hat!« In Amerika nicht. In Amerika organisiert man solche Sachen nicht. Man ordnet sie nicht an, befiehlt sie nicht. Schon gar nicht in einer so ernüchterten Metropole wie New York, mit Arbeitern wie denen von New York. Das sind eigenwillige Kerle, die Arbeiter von New York.

Mürrisch, anarchisch, freier als der Wind. Die gehorchen niemandem, nicht einmal ihren Gewerkschaften. Doch wenn du ihre Fahne anrührst, wenn du ihr Vaterland anrührst … Auf Englisch gibt es das Wort *Patria* nicht. Um Patria zu sagen, muss man zwei Wörter zusammenfügen: Father Land, Vaterland; Mother Land, Mutterland; Native Land, Geburtsland. Oder man sagt einfach: My Country, mein Land. Aber das Substantiv *Patriotism* gibt es. Das Adjektiv *Patriotic* gibt es. Und abgesehen von Frankreich vielleicht, kann ich mir kein patriotischeres Land vorstellen als die Vereinigten Staaten. Ah! Ich habe eine Art Demütigung empfunden, als ich diese Arbeiter sah, die mit geballten Fäusten und Fähnchen schwingend röhrten Ju-es-e, Ju-es-e, Ju-es-e, ohne dass irgendjemand es ihnen befohlen hätte. Denn italienische Arbeiter, die die Trikolore schwenken und donnernd Italia-Italia rufen, kann ich mir kaum vorstellen. Bei Demonstrationen und Kundgebungen habe ich immer viele italienische Arbeiter mit roten Fahnen gesehen. Ströme von roten Fahnen, Meere von roten Fahnen. Aber italienische Fahnen habe ich recht wenige gesehen. Eigentlich fast keine. Fehlgeleitet oder tyrannisiert von einer der Sowjetunion peinlich hörigen Linken, haben sie die Trikolore immer den Gegnern überlassen. (Und man kann nicht sagen, dass die Gegner einen guten Gebrauch davon gemacht haben. Sie haben sie auch nicht überstrapaziert, Gott sei

Dank. Und die, die zur Messe gehen, ebenso wenig.) Was den Grobian mit dem grünen Hemd und der grünen Krawatte angeht, ja, den Separatisten, der weiß ja nicht einmal, welches die Farben der Trikolore sind. Ich-bin-Lombarde, ich-bin-Lombarde. Er hätte gern, dass wir zu den Kriegen zwischen Florenz und Siena zurückkehren, und als Ergebnis sieht man die italienische Fahne heute nur noch bei der Olympiade, wenn Italien zufällig eine Medaille gewinnt. Oder auch in den Stadien bei internationalen Fußballspielen. Das ist übrigens auch die einzige Gelegenheit, bei der man den Ruf Italia-Italia hören kann.

O ja: es gibt einen großen Unterschied zwischen einem Land, in dem die Fahne nur von Rowdies im Stadion oder von Medaillengewinnern geschwenkt wird, und einem Land, in dem sie vom ganzen Volk hochgehalten wird. Einschließlich der rebellischen Arbeiter, die im Kaffeepulver der von den Söhnen Allahs massakrierten Menschen suchen und graben und pflügen.

* * *

Tatsache ist, dass Amerika wirklich ein besonderes Land ist, mein Lieber. Ein Land, das man lieben und eifersüchtig hüten muss, und zwar wegen Dingen, die nichts mit Reichtum et cetera zu tun haben. Weißt du auch, warum? Weil es aus einem

Herzenswunsch heraus entstanden ist, dem Wunsch, ein Vaterland zu haben, und aus der erhabensten Idee, die sich der Mensch je ausgedacht hat: der Idee der Freiheit oder, besser gesagt, der Freiheit und Gleichheit. Es ist ein beneidenswertes Land, weil damals, als das geschah, die Idee der Freiheit nicht in Mode war. Die Idee der Gleichheit ebenso wenig. Von diesen Dingen sprachen höchstens ein paar Denker, die Philosophen, die man Aufklärer nannte, und ihre Begriffe fanden sich nur in einigen Büchern und in den Heften eines vielbändigen und sehr kostspieligen Werks mit dem Titel *Encyclopédie*. Und wer wusste schon etwas über die Aufklärung, abgesehen von den Fürsten und Herren, die das Geld hatten, um das große und sehr kostspielige Werk zu erwerben, abgesehen von den Intellektuellen, die solch neumodische Ideen vertreten wollten? Die Armen machte sie ja schließlich nicht satt, die Aufklärung! Nicht einmal die französischen Revolutionäre redeten davon, da die Französische Revolution erst 1789 beginnen sollte. (Das heißt fünfzehn Jahre nach der Amerikanischen Revolution, die 1776 ausbrach, aber schon 1774 keimte: ein kleines Detail, das die Antiamerikaner des recht-geschieht-es-ihnen-das-geschieht-den-Amerikanern-ganz-recht nicht kennen oder nicht zu kennen vorgeben.) Außerdem ist es ein besonderes Land, weil diese Idee der Freiheit und Gleichheit sofort von Bauern begriffen wurde, die häufig Analphabeten oder jedenfalls ungebildet waren: den Bauern der dreizehn von den Engländern errichteten Kolonien. Und weil diese Idee von einer Gruppe außergewöhnlicher Politiker umgesetzt wurde, von sehr gebildeten Männern mit großartigen Qualitäten. The Founding Fathers, den Gründervätern. Hast du eine Vorstellung davon, wer diese Gründerväter waren, Benjamin Franklin, Thomas Jefferson, Thomas Paine, John Adams, George Washington und wie sie alle heißen?!? Sie hatten nichts gemein mit den Protagonisten der bevorstehenden Französischen Revolution, mein Lieber. Nichts gemein mit den *avvocaticchi*, den Winkeladvokaten, wie Vittorio Alfieri sie zu Recht genannt hat! Nichts gemein, möchte ich sagen, mit den hochberühmten, finsteren Henkern des Terrors, Männern wie Marat, Danton, Saint-Just und Robespierre! Die Gründerväter waren Männer, die so gut Griechisch und Latein konnten, wie die italienischen Griechisch- und Lateinlehrer es nie können werden. Männer, die Aristoteles und Platon auf Griechisch gelesen hatten, Seneca und Cicero auf Latein und die die Prinzipien der griechischen Demokratie so gründlich studiert hatten wie nicht einmal die Marxisten meiner Zeit die Mehrwerttheorie. (Falls sie die überhaupt studiert haben.) Jefferson konnte auch Italienisch. Er sagte »Toskanisch«. Er sprach und las Italienisch fließend. Zusammen mit den zweitausend Rebenpflänzchen und den tausend Olivenbäumchen und dem Notenpapier, das in Virginia knapp war, hatte der florentinische Arzt Filippo Mazzei ihm 1774 nämlich mehrere Exemplare eines Buches mit dem Titel *Dei Delitti e delle Pene* mitgebracht, geschrieben von einem gewissen Cesare Beccaria. Und der Autodidakt Franklin war ein Genie: Erinnerst du dich? Drucker, Verleger, Schriftsteller, Journalist, Wissenschaftler, Erfinder … Im Jahre 1752 hatte er die elektrische Natur des Blitzes entdeckt und den Blitzableiter erfunden. Wenn das nichts ist! Und unter der Führung dieser außergewöhnlichen Menschen, dieser überaus gebildeten Männer von großem Format lehnten sich die Bauern, die häufig Analphabeten oder jedenfalls ungebildet waren, 1776 oder vielmehr 1774 gegen England auf. Sie begannen den Unabhängigkeitskrieg, die Amerikanische Revolution.

Trotz der Gewehre und der Kanonen und der Toten, die jeder Krieg kostet, machten sie ihre Revolution ohne die Ströme von Blut der späteren Französischen Revolution. Sie machten sie ohne die Guillotine, ohne die Massaker in der Vendée und in Lyon und in Toulon und in Bordeaux. Sie machten sie letzen Endes mit einem Papier. Dem Papier, das neben dem Herzenswunsch, dem Wunsch, ein Vaterland zu haben, die erhabene Idee der Freiheit verbunden mit der Idee der Gleichheit postulierte: die Unabhängigkeitserklärung. »We hold these Truths to be self-evident … Folgende Wahrheiten erachten wir als selbstverständlich: dass alle Menschen gleich geschaffen sind; dass sie von ihrem Schöpfer mit gewissen unveräußerlichen Rechten ausgestattet sind; dass dazu Leben, Freiheit und das Streben nach Glück gehören; dass zur Sicherung dieser Rechte Regierungen unter den Menschen eingesetzt werden …« Und dieses Papier, das wir seit der Französischen Revolution alle mehr oder weniger von ihnen abgeschrieben haben, das Papier, von dem wir uns alle inspirieren ließen, bildet noch heute das Rückgrat Amerikas. Den Lebenssaft dieser Nation. Weißt du, warum? Weil es die Untertanen in Bürger verwandelt. Weil es den Plebs in ein Volk verwandelt. Weil es ihn auffordert, ja ihm befiehlt, sich gegen die Tyrannei aufzulehnen, sich selbst zu regieren, seine Individualität auszudrücken, sein Glück zu suchen (was für die Armen bzw. für die Plebejer vor allem bedeutet, ihre materielle Not zu überwinden). Genau das Gegenteil von dem, was der Kommunismus machte, der Seine Majestät, den Staat, an die Stelle der ehemaligen Könige setzte und den Leuten verbot, sich aufzulehnen, sich selbst zu regieren, sich auszudrücken, reich zu werden. »Der Kommunismus ist ein monarchisches Regime, eine Monarchie vom alten Schlag. Als solche kastriert er die Männer. Und wenn du einem Mann die Eier abschneidest, ist er kein Mann mehr«, sagte mein Vater. Er sagte auch, dass der Kommunismus, anstatt den Plebs zu befreien, alle in Plebejer verwandelte. Alle zu Hungerleidern machte.

Nun, meiner Ansicht nach befreit Amerika den Plebs. In Amerika sind alle Plebejer. Weiße, Schwarze, Gelbe, Braune, Grüne, Rote, Regenbogenfarbene. Dumme, Gescheite, Gebildete, Unerfahrene, Arme, Reiche … Tatsächlich sind die Reichen sogar am plebejischsten. In den meisten Fällen richtige Trampel! Ungehobelte, ungezogene Leute … Man sieht sofort, dass sie nie den *Knigge* gelesen haben, dass sie nie in Berührung gekommen sind mit Raffinesse, gutem Geschmack und sophistication. Sie kennen den Unterschied zwischen Gänseleberpastete und Leberwurst nicht, zwischen Kaviar und Kaviarersatz. Und trotz des vielen Geldes, das sie für Kleidung verschwenden, sind sie so wenig elegant, dass die Königin von England im Vergleich chic wirkt. Aber sie sind befreit, Herrgott. Und es gibt auf dieser Welt nichts Stärkeres, Mächtigeres, Unaufhaltsameres als den befreiten Plebs. Daran beißt man sich immer die Zähne aus, am befreiten Plebs. Und auf die eine oder andere Weise haben sich immer alle an Amerika die Zähne ausgebissen. Engländer, Deutsche, Mexikaner, Russen, Nationalsozialisten, Faschisten, Kommunisten … Zuletzt sogar die Vietnamesen. Denn nach ihrem Sieg mussten die Nordvietnamesen mit den Amerikanern verhandeln, und als Expräsident Clinton ihnen einen Kurzbesuch abgestattet hat, haben sie sich im siebten Himmel gefühlt. »Bienvenu, Monsieur le Président, bienvenu! Machen wir business mit America, oui? Boku money, oui?« Das Problem ist, dass die Söhne Allahs keine Vietnamesen sind. Und der Kampf des befreiten Plebs mit ihnen wird hart werden. Sehr lang, sehr schwierig, sehr hart. Außer, der übrige Westen hört endlich auf, sich in die Hose zu machen oder es mit seinen Feinden zu treiben. Und kommt ein bisschen zur Räson, wird wieder wach. Einschließlich des Papstes.

(Gestatten Sie mir eine Frage, Heiligkeit: Ist es wahr, dass Sie die Söhne Allahs vor einiger Zeit um Verzeihung gebeten haben für die Kreuzzüge, die Ihre Vorgänger unternahmen, um das Heilige Grab zurückzuerobern? Ja, ist das wahr? Haben die Söhne Allahs sich denn je bei Ihnen dafür entschuldigt, dass sie es sich genommen hatten? Haben Sie sich je bei Ihnen dafür entschuldigt, dass sie fast acht Jahrhunderte lang die erzkatholische Iberische Halbinsel unterjocht hatten, ganz Portugal und drei Viertel von Spanien, so dass man, wenn Isabella von Kastilien und Ferdinand von Aragon sie 1490 nicht verjagt hätten, in Spanien und Portugal noch heute Arabisch spräche? Eine Kleinigkeit, die mich neugierig macht, denn mich haben sie nie um Entschuldigung gebeten wegen der Verbrechen, die sie bis zum Anbruch des 19. Jahrhunderts an den toskanischen

Küsten und im Tyrrhenischen Meer verübten, wo sie meine Großväter entführten, sie an den Füßen, an den Handgelenken und am Hals aneinander ketteten, sie nach Algerien, nach Tunis oder in die Türkei als Sklaven brachten, um sie auf dem Bazar zu verkaufen, und ihnen nach Fluchtversuchen die Kehle durchschnitten. Teufel auch, ich verstehe Sie nicht, Heiligkeit! Sie haben so tatkräftig daran mitgewirkt, dass die Sowjetunion zusammenbricht. Meine Generation, eine Generation, die ihr ganzes Leben in der Erwartung und in der Angst vor dem dritten Weltkrieg gelebt hat, muss sich auch bei Ihnen bedanken für das Wunder, von dem niemand von uns glaubte, es jemals mit eigenen Augen zu sehen: ein vom Alptraum des Kommunismus befreites Europa, ein Russland, das um Aufnahme in die Nato bittet, ein Leningrad, das wieder St. Petersburg heißt, ein Putin, der Bushs bester Freund ist. Sein engster Verbündeter. Und nachdem Sie zu all dem beigetragen haben, sympathisieren Sie mit den Invasoren, die tausendmal gemeiner sind als Stalin, entschuldigen sich bei denen, die Ihnen das Heilige Grab gestohlen haben und Ihnen womöglich auch den Vatikan wegnehmen möchten?!?)

* * *

Selbstverständlich wende ich mich nicht an die Geier, die angesichts der Bilder von den

Trümmern jubeln und dabei kichern recht-geschieht-es-ihnen-das-geschieht-den-Amerikanern-ganz-recht. Ich wende mich an die Menschen, die sich, obwohl sie weder dumm noch böse sind, weiter von Vorsicht und Zweifel einlullen lassen. Ihnen sage ich: Aufstehen, Leute, aufstehen! Wacht auf! Gelähmt wie ihr seid, da ihr befürchtet, gegen den Strom zu schwimmen oder für Rassisten gehalten zu werden (übrigens ganz unpassend, das Wort, weil es hier nicht um eine Rasse, sondern um eine Religion geht), begreift ihr nicht oder wollt nicht begreifen, dass wir es mit einem umgekehrten Kreuzzug zu tun haben. An ein doppeltes Spiel gewöhnt, mit Kurzsichtigkeit geschlagen, begreift ihr nicht oder wollt nicht begreifen, dass gerade ein Religionskrieg stattfindet. Gewollt und erklärt von einer Randgruppe innerhalb dieser Religion, vielleicht. (Vielleicht?) Jedenfalls ein Krieg. Ein Religionskrieg, den sie Jihad nennen: Heiligen Krieg. Ein Krieg, der vielleicht (vielleicht?) nicht auf die Eroberung unseres Territoriums abzielt, der es aber ganz bestimmt auf die Eroberung unserer Seelen abgesehen hat. Auf die Abschaffung unserer Freiheit und Zivilisation, auf die Vernichtung unserer Art zu leben und zu sterben, unserer Art zu beten oder nicht zu beten, unserer Art zu lernen oder nicht zu lernen, zu trinken oder nicht zu trinken, uns zu kleiden oder nicht zu kleiden, uns zu amüsieren, zu informieren … Ihr begreift nicht oder wollt nicht begreifen, dass der Jihad gewinnen wird, wenn wir uns dem nicht entgegenstellen, wenn wir uns nicht verteidigen, wenn wir nicht kämpfen. Und er wird die Welt zerstören, die wir gut oder schlecht aufgebaut, verändert, verbessert, ein wenig intelligenter, das heißt weniger bigott oder sogar überhaupt nicht bigott gestaltet haben. Er wird unsere Kultur zerstören, unsere Kunst, unsere Wissenschaft, unsere Moral, unsere Werte, unsere Freuden … Macht ihr euch nicht klar, dass Leute wie Usama Bin Laden sich für berechtigt halten, euch und eure Kinder zu töten, weil ihr Wein oder Bier trinkt, weil ihr keine langen Bärte oder keinen Tschador bzw. keine Burkah tragt, weil ihr ins Theater oder ins Kino geht, weil ihr Musik hört und Schlager singt, weil ihr in Diskotheken oder zu Hause tanzt, weil ihr fernseht, weil ihr Miniröcke oder Shorts tragt, weil ihr am Meer oder im Schwimmbad nackt oder fast nackt herumlauft, weil ihr vögelt, wann ihr Lust habt, wo ihr Lust habt und mit wem ihr Lust habt? Und schließlich weil ihr an Jesus Christus glaubt oder vielmehr Atheisten seid? Ist euch nicht einmal das wichtig, ihr Dummköpfe? Ich bin Atheistin, Gott sei Dank. Eine unverbesserliche, stolze Atheistin. Und ich hege nicht die geringste Absicht, mich dafür bestrafen zu lassen von den Söhnen Allahs, das heißt von denen, die, anstatt zur Verbesserung der Menschheit beizutragen, ihre Zeit damit verbringen, mit dem Hintern in der Luft fünfmal am Tag zu beten.

Seit zwanzig Jahren sage ich das. Seit zwanzig Jahren. Mit einer gewissen Milde, nicht mit dieser Wut und dieser Leidenschaft, schrieb ich vor zwanzig Jahren über all das einen Leitartikel. Es war der Artikel eines Menschen, der es gewohnt war, mit allen Rassen und allen Glaubensrichtungen zurechtzukommen, einer Bürgerin, die es gewohnt war, gegen jeden Faschismus und jede Intoleranz zu kämpfen, einer dem Laizismus Verpflichteten ohne Tabu. Doch es war auch der Artikel eines Menschen, der sich empört über die westlichen Länder, die den Gestank des kommenden Heiligen Kriegs nicht riechen wollten und den Söhnen Allahs ein bisschen zu viel verziehen. So ungefähr lautete meine Argumentation vor zwanzig Jahren. »Welchen Sinn hat es, Leute zu respektieren, die uns nicht respektieren? Welchen Sinn hat es, ihre Kultur oder angebliche Kultur zu verteidigen, wenn sie die unsere verachten? Ich will unsere Kultur verteidigen, verdammt, und ihr sollt wissen, dass mir Dante Alighieri besser gefällt als 'Omar Khayyām.« Heiliger Himmel! Sie kreuzigten mich. »Rassistin, Rassistin!« Es waren die Luxuszikaden bzw. die so genannten Progressiven (damals hießen sie Kommunisten) und die Katholiken, die mich kreuzigten. Übrigens wurde ich auch als Rassistin beschimpft, als die Sowjets in

Afghanistan einmarschierten. Erinnerst du dich an die bärtigen Männer in Rock und Turban, die, bevor sie mit dem Mörser schossen oder sogar bei jedem Mörserschuss zum Lob des Herrn »Allah Akbar, Gott ist groß, Allah Akbar« grölten? Ich erinnere mich daran. Jedes Mal, wenn ich sie das Wort Gott mit einem Mörserschuss paaren sah, lief es mir kalt über den Rücken. Ich fühlte mich ins Mittelalter zurückversetzt und sagte mir: »Die Sowjets sind, was sie sind. Aber man muss zugeben, dass sie mit diesem Krieg auch uns beschützen. Und ich danke ihnen.« Heiliger Himmel. »Rassistin, Rassistin!«, tönte es wieder. In ihrer Blindheit wollten die Zikaden nichts von meinen Berichten über die Gräuel wissen, die die Söhne Allahs an den gefangen genommenen sowjetischen Soldaten verübten. Sie sägten den sowjetischen Soldaten die Beine und die Arme ab, weißt du noch? Ein kleines Laster, dem sie schon im Libanon gefrönt hatten, damals mit christlichen und jüdischen Gefangenen. (Darüber darfst du dich nicht wundern, mein Lieber. Im 19. Jahrhundert ließen sie den Diplomaten und vor allem den englischen Botschaftern die gleiche Behandlung angedeihen. Ich kann dir Namen und Daten liefern, und in der Zwischenzeit kannst du ein paar Bücher zum Thema lesen. Sie schnitten ihnen sogar den Kopf ab, den Diplomaten, den englischen Botschaftern, und spielten damit Polo. Die Beine und Arme dagegen stellten sie aus oder verkauften sie auf dem Bazar.) Aber was scherte die Luxuszikaden, die so genannten Progressiven, schon ein armer kleiner Soldat aus der Ukraine, der mit abgesägten Armen und Beinen im Hospital lag? Damals applaudierten sie höchstens den Amerikanern, die verblödet von der Angst vor der Sowjetunion das heroische-afghanische-Volk mit Waffen versorgten. Sie drillten die Bartträger und darunter (Gott vergebe ihnen, ich nicht) einen mit besonders langem Bart namens Usama Bin Laden. »Russen raus aus Afghanistan! Die Russen müssen Afghanistan verlassen!« Nun ja, die Russen sind gegangen. Zufrieden? Und die Bartträger vom langbärtigen Usama Bin Laden sind aus Afghanistan nach New York gekommen, zusammen mit den bartlosen Syrern, Ägyptern, Irakern, Libanesen, Palästinensern, Saudi-Arabern, Tunesiern und Algeriern, die die Gruppe der neunzehn vom FBI identifizierten Kamikaze bildeten. Zufrieden? Es kommt noch schlimmer. Denn jetzt erwartet man hier den nächsten Angriff, den der islamische Terrorismus mit bakteriologischen Waffen starten will, das heißt mit Krankheitserregern, die ein viel schlimmeres Massensterben auslösen können als das vom 11. September. Jeden Abend und jeden Morgen ist im Fernsehen von Milzbrand und Pocken die Rede: Den Krankheiten, die am meisten gefürchtet werden, da sie sich am leichtesten verbreiten lassen. Ein Wissenschaftler, der vor Jahren aus der Sowjetunion nach Amerika geflüchtet ist, hat alles noch dramatischer formuliert. Im CNN-Programm erscheint er auf dem Bildschirm und sagt: »Don't take it easy. Nehmt es nicht auf die leichte Schulter. Auch wenn bisher keine Epidemie ausgebrochen ist, ist diese Drohung die realistischste von allen. Sie kann sich morgen bewahrheiten, sie kann sich in einem Jahr bewahrheiten oder in zwei oder drei oder noch mehr Jahren. Bereitet euch vor.« Ergo, trotz der Worte von Bobby, trotz der Worte von Bürgermeister Giuliani, haben die Leute Angst. Zufrieden?

Manche sind weder zufrieden noch unzufrieden. Es ist ihnen alles egal. Amerika ist ja weit weg, sagen sie. Zwischen Europa und Amerika liegt ein Ozean. O nein, meine Lieben, ihr irrt euch: Es ist nur ein Tropfen. Denn wenn das Schicksal des Westens auf dem Spiel steht, dann ist das Überleben unserer Zivilisation in Gefahr. Amerika sind wir. Die Vereinigten Staaten sind wir. Wir Italiener, Franzosen, Engländer, Deutsche, Schweizer, Österreicher, Holländer, Ungarn, Slowaken, Polen, Skandinavier, Belgier, Spanier, Griechen, Portugiesen. Und auch wir Russen haben, dank der Moslems aus Tschetschenien, in Moskau unseren Teil des Blutbads abbekommen. Wenn Amerika zusammenbricht, bricht Europa zusammen. Bricht der Westen zusammen, brechen wir zusammen. Und nicht nur in finanzieller Hinsicht, das heißt in der Hinsicht, die den Europäern am meisten Kopfzerbrechen bereitet. (Einmal, als ich noch jung und ahnungslos war, sagte ich zu Arthur Miller: »Die Amerikaner messen alles in Geld, sie sorgen sich nur ums Geld.« Und Arthur Miller antwortete: »Ihr nicht?«) In jeder Hinsicht brechen wir zusammen, meine Lieben. Und anstelle der Kirchenglocken ruft dann der Muezzin, anstelle der Miniröcke tragen wir den Tschador oder vielmehr die Burkah, anstelle eines kleinen Cognacs trinken wir Kamelmilch. Nicht einmal das versteht ihr, nicht einmal das wollt ihr verstehen, ihr Idioten?!? Blair hat es kapiert. Gleich nach der Tragödie ist er hierher gekommen und hat Bush die Solidarität der Engländer erklärt oder vielmehr diese Erklärung erneuert. Keine Solidarität, die sich in Geschwätz und Gejammer erschöpft: eine Solidarität, die auf der Jagd der Terroristen und einem militärischen Bündnis basiert. Chirac nicht. Wie du weißt, ist er nach der Katastrophe hierher gekommen. Ein seit längerem vorgesehener Besuch, kein spontaner. Er hat die Trümmer der beiden Türme gesehen, er hat erfahren, dass es eine unermessliche bzw. eine unnennbare Zahl von Toten gegeben hat, aber er hat nicht mit der Wimper gezuckt. Während des Interviews auf CNN hat Christiane Amanpour ihn wohl viermal gefragt, auf welche Art und in welchem Maße er sich am Kampf gegen den Jihad zu beteiligen beabsichtige. Und viermal ist er die Antwort schuldig geblieben, hat sich wie ein Aal gewunden. Ich hätte schreien mögen: »Monsieur le Président! Erinnern Sie sich an die Landung in der Normandie? Erinnern Sie sich an die Amerikaner, die in der Normandie umgekommen sind, um die Nazis aus Frankreich zu vertreiben?«

Auch unter seinen ehemaligen französischen Kollegen sehe ich übrigens keinen Richard Löwenherz. Und noch viel weniger in Italien, wo zwei Wochen nach der Katastrophe noch kein einziger Komplize oder mutmaßlicher Komplize Usama Bin Ladens identifiziert und verhaftet wurde. Herrgott, Signor Cavaliere, Herrgott! In jedem Land Europas sind einige Komplizen oder mutmaßliche Komplizen identifiziert und verhaftet worden! In Frankreich, in Deutschland, in England, in Spanien ... Aber in Italien, wo die Moscheen von Mailand, Turin und Rom überquellen von Halunken, die Usama Bin Laden zujubeln, von Terroristen oder Terroristenanwärtern, die nur zu gern die Kuppel des Petersdoms in die Luft jagen würden, kein Einziger. Nichts. Nicht einer. Erklären Sie es mir, Signor Cavaliere: Sind Ihre Polizisten und Carabinieri so unfähig? Sind Ihre Geheimdienste so schlecht informiert? Schlafen Ihre Beamten alle? Und sind die Söhne Allahs, die wir in unserem Land beherbergen, alle Unschuldslämmer? Sind sie alle unbeteiligt an dem, was geschehen ist und geschieht? Oder, wenn Sie die richtigen Untersuchungen anstellen, wenn Sie diejenigen identifizieren und festnehmen lassen, die bis heute noch auf freiem Fuß sind, fürchten Sie etwa um Ihre eigene Sicherheit? Ich, sehen Sie, fürchte nichts. Herrgott! Ich spreche niemandem das Recht ab, Angst zu haben. Tausendmal habe ich zum Beispiel schon geschrieben, dass diejenigen, die keine Angst vor einem Krieg haben, Idioten sind, und jene, die vorgeben, keine Angst vor einem Krieg zu haben, Idioten und Lügner dazu. Doch gibt es im Leben und in der Geschichte Momente, in denen es nicht erlaubt ist, sich zu fürchten. Momente, in denen es unmoralisch und barbarisch ist, Angst zu haben. Und diejenigen, die sich aus Schwäche oder aus mangelnder Tapferkeit oder aus der Gewohnheit heraus, es sich mit niemandem verderben zu wollen, dieser Tragödie entziehen, finde ich nicht nur feige. Für mich sind sie auch dumm und masochistisch.

* * *

Masochistisch, ja, masochistisch. Und bei dieser Gelegenheit wollen wir uns gleich mal über das unterhalten, was du den Kontrast-zwischen-zwei-Kulturen nennst. Nun, wenn du es wirklich wissen willst, mich stört es sogar, überhaupt von zwei Kulturen zu sprechen: sie auf eine Ebene zu stellen, als handelte es sich um zwei parallele

Wirklichkeiten, um zwei Gebilde von gleichem Gewicht und gleichem Ausmaß, das stört mich. Denn hinter unserer Kultur steht Homer, steht Sokrates, steht Platon, steht Aristoteles, steht Phidias. Das antike Griechenland mit seinem Parthenon, seinen Skulpturen, seiner Architektur, seiner Dichtung, seiner Philosophie, seiner Entdeckung der Demokratie. Das antike Rom mit seiner Größe, seinem Gesetzesbegriff, seiner Literatur, seinen Palästen, seinen Amphitheatern, seinen Aquädukten, seinen Brücken, seinen Straßen. Dahinter steht ein Revolutionär, jener am Kreuz gestorbene Christus, der uns Liebe und Gerechtigkeit gelehrt hat (und wenn wir nichts gelernt haben, selber schuld). Dahinter steht auch eine Kirche, die uns die Inquisition beschert hat, wohl wahr, die uns gefoltert und tausendmal auf dem Scheiterhaufen verbrannt hat, die uns jahrhundertelang unterdrückt hat, die uns jahrhundertelang gezwungen hat, in der Malerei und Bildhauerei nur Christusfiguren und Madonnen darzustellen, die beinahe Galileo Galilei getötet hätte. Die ihn gedemütigt und zum Schweigen verurteilt hat. Aber diese Kirche hat auch einen großen Beitrag zur Geistesgeschichte geleistet. Selbst eine Atheistin wie ich kann das nicht bestreiten. Und dahinter steht auch die Renaissance. Leonardo da Vinci, Michelangelo, Raffael. Die Musik von Bach, von Mozart, von Beethoven, Donizetti, Wagner, Rossini, Verdi and Company. Diese Musik, ohne die wir nicht leben können und die in der Kultur oder angeblichen Kultur der Söhne Allahs verboten ist. Wehe, wenn du einen Schlager pfeifst oder den Chor aus *Nabucco* vor dich hin summst. (»Ich kann allerhöchstens den Soldaten ein paar Märsche zugestehen«, sagte Khomeini zu mir.) Und schließlich ist da die Wissenschaft. Eine Wissenschaft, die in wenigen Jahrhunderten Schwindel erregende Entdeckungen gemacht und Wunder vollbracht hat, die des Zauberers Merlin würdig sind! Kopernikus, Galilei, Newton, Darwin, Pasteur, Einstein (und ich zähle nur die erstbesten Namen auf, die mir einfallen), diese Wohltäter der Menschheit waren ja keine Jünger Mohammeds. Oder irre ich mich? Der Motor, der Telegraf, die Elektrizität, das Radium, das Radio, das Telefon, das Fernsehen verdanken wir ja nicht den Mullahs und den Ayathollas. Oder irre ich mich? Die Dampfschiffe, die Eisenbahn, das Auto, das Flugzeug, die Raumschiffe, mit denen wir zum Mond und zum Mars geflogen sind und bald wer weiß wohin fliegen werden, ebenso wenig. Oder irre ich mich? Die Herz-, Leber-, Lungentransplantationen, die Krebstherapien, die Entdeckung des Genoms, idem. Oder irre ich mich? Und auch wenn das alles zum Wegwerfen wäre, was ich allerdings nicht finde, sag mir: Was steht hinter der anderen Kultur, der Kultur der Bartträger in Rock und Turban, was findet man dort?

Auch wenn ich noch so lange suche, finde

ich nur Mohammed mit seinem Koran, Averroes mit seinen Verdiensten als Gelehrter (seinen *Kommentaren* zu Aristoteles etc.), und den Poeten 'Omar Khayyām. Arafat findet noch die Zahlen und die Mathematik. Er schrie wieder auf mich ein und spuckte dabei, als er mir 1972 erklärte, dass seine Kultur der meinen überlegen sei. Sehr überlegen (darf er das Wort »überlegen« verwenden?), weil seine Ahnen die Zahlen und die Mathematik erfunden hätten. Doch Arafat hat ein kurzes Gedächtnis und ist außerdem nicht sehr intelligent. Deshalb ändert er ständig seine Meinung und widerspricht sich laufend. Mein lieber Arafat (wenn ich das sagen darf), Ihre Ahnen haben die Zahlen nicht erfunden: Sie haben die Schreibweise der Zahlen erfunden, die auch wir Ungläubigen übernahmen. Und die Mathematik haben nicht sie, oder besser gesagt nicht nur sie entwickelt. Sie wurde beinahe gleichzeitig in allen alten Kulturen entwickelt. In Mesopotamien, in Indien, in China, in Griechenland, in Arabien, in Ägypten, bei den Mayas … Genug der Worte: Wie man es auch dreht und wendet, Ihre Ahnen haben uns nichts als ein paar schöne Moscheen und eine Religion hinterlassen, die gewiss nicht zur Geistesgeschichte beigetragen hat. Und die in ihren akzeptabelsten Aspekten ein Plagiat der christlichen und der jüdischen Religion und sogar der hellenistischen Philosophie ist. Und nachdem wir das geklärt haben, wollen wir mal sehen, welche Vorzüge man diesem Koran abgewinnen kann, den die Luxuszikaden mehr achten als *Das Kapital* und die Evangelien. Vorzüge? Seit dem 11. September 2001 tun die Islam-Experten nichts anderes, als Mohammeds Loblied zu singen: Sie erzählen mir, dass der Koran Frieden und Brüderlichkeit und Gerechtigkeit predigt. (Auch Bush sagt das, armer Bush. Um die vierundzwanzig Millionen arabisch-moslemischer Amerikaner bei Laune zu halten, wiederholt er immerzu die drei Worte, wie die Franzosen während der Revolution »Freiheit-Gleichheit-Brüderlichkeit« wiederholten.) Aber im Namen der Logik: Wenn der Koran so gerecht und brüderlich und friedlich ist, was sagt uns dann Auge-um-Auge-und-Zahn-um-Zahn? Was hat es auf sich mit der Burkah, das heißt dem die Sinne täuschenden Laken, mit dem Millionen unglücklicher moslemischer Frauen ihr Gesicht und ihren Körper verhüllen, was sie zwingt, die Welt durch ein kleines, dichtes Netz vor ihren Augen zu betrachten? Was hat es auf sich mit der schändlichen Polygamie und dem Grundsatz, dass Frauen weniger wert sind als Kamele; warum dürfen sie nicht zur Schule gehen, nicht die Sonne genießen, sich nicht fotografieren lassen und so weiter und so weiter, amen? Was hat es auf sich mit dem Alkoholverbot und der Todesstrafe für diejenigen, die Alkoholika trinken? Was hat es auf sich mit den Ehebrecherinnen, die gesteinigt oder enthauptet werden? (Dem mitverantwortlichen Mann geschieht nichts.) Was hat es auf sich mit den Dieben, denen in Saudi-Arabien die Hand abgehackt wird, beim ersten Diebstahl die Linke, beim zweiten die Rechte und beim dritten ein Fuß und dann, wer weiß was? Steht das auch in dem Heiligen Buch, ja oder nein?!? Mir kommt das nicht sehr gerecht vor. Und auch nicht sehr brüderlich und sehr friedlich. Nicht einmal intelligent kommt es mir vor. Apropos Intelligenz: Ist es wahr, dass die heutigen Vordenker der selbst ernannten Linken nicht hören wollen, was ich sage? Ist es wahr, dass sie zu toben anfangen, wenn sie es hören, und unzumutbar-unzumutbar schreien? Sind sie etwa alle zum Islam übergetreten und gehen jetzt nicht mehr in die Casa del Popolo, sondern in die Moscheen? Oder schreien sie so, um ihrem neuen Verbündeten und Komplizen zu gefallen, dem Papst, der sich entschuldigt bei jenen, die ihm das Heilige Grab weggenommen haben? Wer weiß! Mein Onkel Bruno hatte Recht, als er sagte: »Italien, wo es keine Reformation gegeben hat, ist das Land, das am intensivsten die Gegenreformation erlebt hat.«

Hier nun meine Antwort auf deine Frage nach dem Kontrast-zwischen-den-zwei-Kulturen. Auf dieser Welt ist für alle Platz. Bei sich zu Hause macht jeder, was er will. Doch wenn in einigen Ländern die Frauen so dumm sind, den Tschador oder die Burkah zu tragen, wenn sie so verrückt sind und akzeptieren, weniger wert zu sein als ein Kamel, wenn sie so blöd sind, einen Scheißkerl zu heiraten, der vier Unglückliche in seinem Bett will, selber schuld. Wenn ihre Männer so albern sind, keinen Wein und kein Bier zu trinken, ebenso. Ich werde sie bestimmt nicht daran hindern. Ich bin mit der Idee der Freiheit groß geworden, verdammt noch mal, und meine Mutter sagte immer: »Die Welt ist schön, weil sie bunt ist.« Doch wenn mir die Söhne Allahs diese Dinge aufzwingen wollen, meinem Land, wenn sie meine Kultur durch ihre ersetzen wollen ... Genau das wollen sie. Usama Bin Laden hat erklärt, dass der gesamte Planet moslemisch werden muss, dass er uns im Zweifelsfall mit Gewalt bekehren wird, dass er uns zu diesem Zweck massakriert und weiter massakrieren wird. Und das können auch die leichtgläubigsten und zynischsten Verteidiger des Islam nicht wollen. Und schon gar nicht ich ... Tatsächlich habe ich das große Bedürfnis, den Spieß umzudrehen und ihn zu ermorden. Das Problem ist, dass der Spuk mit dem Tod Usama Bin Ladens nicht vorbei, nicht gelöst ist. Denn es gibt zu viele Usama Bin Ladens, gerade heute: Sie sind wie geklonte Schafe aus unseren Forschungslabors, aber gar nicht dumm. Ich will sagen: Sie sind nicht wie ihre Vorfahren, die Krieger, die Spanien und Portugal eroberten und dabei auf Kamelen ritten und mit dem Krummsäbel kämpften. Sie können eine 757 fliegen und mit Waffen kämpfen, die der Westen bereithält. Mit den Waffen des Fortschritts. Sie können die kompliziertesten Computer bedienen und sich in einem Augenblick Zugang zu den allerneuesten Informationen verschaffen. Sie wissen, wie man eine Atombombe baut und wie man ein Atomkraftwerk in die Luft sprengt oder lahm legt. Sie wissen, wie man die Stromversorgung, das Telefonnetz, die Finanzwelt zerstört, wie man einen ansteckenden Virus verbreitet. Wie man eine Regierung erpresst, wie man einen Papst manipuliert, wie man eine geschickte Propaganda entwickelt. Also wie sie die Köpfe ihrer Opfer beherrschen können, indem sie Einfluss nehmen auf das politische und intellektuelle Umfeld. Also auf Presse, Filme, Bücher. Es sind tatsächlich die am besten Ausgebildeten und die Intelligentesten, die nicht in ihren moslemischen Heimatländern bleiben, in den Höhlen Afghanistans oder in den Moscheen Irans und Pakistans. Sie halten sich in unseren Ländern auf, unseren Städten, unseren Universitäten, unseren Unternehmen. Sie haben Zugang zu unseren Kirchen, unseren Banken, unserem Fernsehen, unseren Radios, unseren Zeitungen, unseren Verlagen, unseren akademischen oder religiösen Zirkeln, unseren Gewerkschaften und unseren Parteien. Sie nisten sich in unseren technischen Nervenknoten ein, im Herz unserer Gesellschaft. Einer Gesellschaft, die sie beherbergt, ohne ihr Anderssein zu hinterfragen, ohne ihre Absichten zu überprüfen, ohne ihren Fanatismus zu bestrafen. Einer Gesellschaft, die sie im Geiste der Demokratie aufnimmt, der Aufgeschlossenheit, des christlichen Mitleids, ihrer liberalen Grundsätze, ihrer zivilen Gesetzgebung. Einer Gesetzgebung, die beispielsweise die Folter abgeschafft hat und die Todesstrafe. Die es nicht erlaubt, jemanden zu verhaften und festzuhalten, wenn er kein Verbrechen begangen hat, einen Prozess abzuhalten, wenn der Angeklagte nicht von einem Rechtsanwalt verteidigt wird, jemanden zu verurteilen, wenn eine Tat nicht nachgewiesen werden konnte. Die es ermöglicht, in Berufung zu gehen und eine Strafe aufzuheben, Verbrecher wie sie freizulassen. Liberale Prinzipien, die sie schamlos ausnutzen, durch die sie sich schamlos Vorteile verschaffen und die sie gleichzeitig selbst nicht achten. Die Demokratie bedankt sich bei denen, die sich in unserer Mitte niederlassen, in unsere Leben eindringen, uns belästigen, uns töten. Nicht zufällig hat ein islamischer Gelehrter während einer Synode, die im Oktober 1999 im Vatikan stattfand, um das Verhältnis zwischen Christen und Moslems zu diskutieren, mit einiger Unverfrorenheit zu den Bischöfen gesagt: »Angesichts eures demokratischen Selbstverständnisses sollten wir euch angreifen, angesichts unseres religiösen Selbstverständnisses sollten wir euch beherrschen.« (Das bezeugte Monsignor Giuseppe Bernardini, Erzbischof der türkischen Diözese in Smyrna.)

Nein, mein Lieber, nein: Der Umgekehrte Kreuzzug braucht keinen Usama Bin Laden, keinen Napoleon. Egal, ob mit oder ohne ihn, es ist heute eine unverrückbare Tatsache, eine immer bedeutsamere Realität, dass der Westen mittels seiner Haltung und seiner Kollaborateure (derjenigen, die die Eindringlinge unterstützen) ihn nährt und stützt. Das ist der Grund, warum die Kreuzfahrer immer mehr werden, immer mehr wollen, immer mehr beherrschen. In der Tat, mit ihnen zu verhandeln ist unmöglich. Vernünftig zu reden, undenkbar. Sie mit Nachsicht zu behandeln, ein Selbstmord. Und wer das Gegenteil glaubt, ist ein Idiot.

* * *

Ich sage das nicht nur so vom Hörensagen, mein Lieber. Ich sage es, weil ich die Welt dieser Pioniere ziemlich gut kenne. Aus dem Iran, aus dem Irak, aus Pakistan, aus Bangladesh, aus Saudi-Arabien, aus Kuwait, aus Libyen, aus Jordanien, aus dem Libanon und von uns zu Hause: aus Italien. Ich habe sie kennen gelernt, ja, und fand die Annahmen über sie durch geradezu groteske Episoden grauenhafter Art immer wieder bestätigt. Nie werde ich vergessen, was mir auf der Iranischen Botschaft in Rom passiert ist, als ich das Visum für ein Interview mit Khomeini beantragte und mit rot lackierten Fingernägeln vorsprach. Für die Söhne Allahs ein Zeichen von Sittenlosigkeit, ja sogar ein Verbrechen, für das sie dir in den besonders fundamentalistischen Ländern die Finger abhacken. Mit schneidender Stimme befahlen mir zwei Bartträger, dieses Rot sofort zu entfernen, und hätte ich sie nicht angeschrien, was ich ihnen gern entfernen bzw. abschneiden würde, hätten sie mir in meinem eigenen Land die Finger abgehackt. Ebenso wenig werde ich vergessen, was mir in Qom, der heiligen Stadt Khomeinis, passierte, wo ich als Frau in allen Hotels abgewiesen wurde. In allen! Für das Interview mit Khomeini musste ich den Tschador tragen, um den Tschador zu tragen, musste ich die Bluejeans ausziehen, um die Bluejeans auszuziehen, brauchte ich ein Zimmer. Natürlich hätte ich mich im Auto umziehen können, mit dem ich aus Teheran gekommen war. Doch mein Dolmetscher hinderte mich daran. Das-ist-Wahnsinn, Signora, das-ist-Wahnsinn. Für-so-etwas-wird-man-hier-in-Qom-erschossen! So erreichten wir nach vielen Abweisungen schließlich den ehemaligen Königspalast, wo ein mitleidiger Wächter uns einließ und uns den früheren Thronsaal zur Verfügung stellte. Einen großen Raum, in dem ich mir vorkam wie die Jungfrau Maria, die sich zusammen mit Josef in den von Ochs und Esel erwärmten Stall flüchtet, um das Jesuskind zu gebären. Und weißt du, was dann passierte? Da der Koran es einem Mann und einer Frau, die nicht miteinander verheiratet sind, verbietet, sich zusammen hinter einer geschlossenen Türe aufzuhalten, ging plötzlich die Türe auf. Sobald er über unser Kommen informiert worden war, stürzte der für die Kontrolle der Moral zuständige Mullah (ein sehr strenger) Schande-Schande-Sünde-Sünde rufend herein, und es gab nur einen Weg, nicht erschossen zu werden: die Heirat. Einen befristeten Ehevertrag (für vier Monate) zu unterzeichnen, mit dem der Mullah vor unserem Gesicht wedelte. Heiraten. Das Problem war nur, dass der Dolmetscher schon eine spanische Ehefrau hatte. Eine gewisse – äußerst eifersüchtige – Consuelo, die nicht bereit war, die Regeln der Polygamie zu akzeptieren. Und ich wollte sowieso niemanden heiraten. Schon gar keinen Iraner mit einer eifersüchtigen spanischen Frau, die nicht bereit war, die Regeln der Polygamie zu akzeptieren. Gleichzeitig wollte ich auch nicht erschossen werden bzw. das Interview mit Khomeini verpassen. Mit diesem Dilemma schlug ich mich verzweifelt herum, und ...

Du lachst, da bin ich sicher. Als ob ich dir einen Witz erzählte, da bin ich sicher. Zur Strafe erzähle ich dir nicht, wie die Geschichte ausging. Ich lasse dich sitzen mit der neugierigen Frage, ob ich den bereits verheirateten Dolmetscher geheiratet habe oder nicht, und um dich zum Weinen zu bringen, erzähle ich dir die Geschichte von den zwölf unreinen Jünglingen (was sie Unreines getan hatten, habe ich nie erfahren), die nach dem Krieg in Bangladesh in Dhaka hingerichtet wurden. Im Sportstadion von Dhaka wurden sie mit Bajonettstichen in Brustkorb und Bauch hingerichtet, in Gegenwart von zwanzigtausend Gläubigen, die auf den Tribünen im Namen Allahs applaudierten. »Allah Akbar, Gott ist groß, Allah Akbar.« Ich weiß, ich weiß: Im Kolosseum amüsierten sich die alten Römer, jene alten Römer, auf die meine Kultur so stolz ist, damit, die Christen den Löwen zum Fraß vorzuwerfen. Ich weiß, ich weiß: In allen Ländern Europas amüsierten sich die Christen, die Christen, deren Beitrag zur Geistesgeschichte ich nur zähneknirschend anerkenne, damit, die Häretiker auf dem Scheiterhaufen brennen zu sehen. Doch sind seitdem mehrere Jahrhunderte vergangen. Inzwischen sind wir etwas zivilisierter geworden, und auch die Söhne Allahs müssten begriffen haben, dass man bestimmte Dinge nicht tut. Sie tun sie aber. Nach den zwölf unreinen Jünglingen töteten sie auch einen zwölfjährigen Jungen, der sich auf einen Körper gestürzt hatte und schluchzte mein-Bruder, mein-Bruder. Ihm zerquetschten sie den Kopf mit ihren Militärstiefeln. Und wenn du es nicht glaubst, lies in meiner Reportage nach oder in den Berichten der französischen, deutschen und englischen Journalisten, die zusammen mit mir dort waren und genauso entsetzt dem Gemetzel beiwohnten wie ich. Oder, noch besser, sieh dir die Fotos an, die ein deutscher Fotograf gemacht hat. Doch der Punkt, den ich vor allem betonen möchte, ist ein anderer. Dass nämlich am Ende des Gemetzels die zwanzigtausend Gläubigen (unter ihnen viele Frauen) die Tribünen verließen und auf den Platz hinunterstiegen. Aber, es gab kein ungeordnetes Gedränge, nein. In Reih und Glied formierten sie sich langsam zu einem feierlichen Zug. Langsam erreichten sie die Mitte des Platzes und, unaufhörlich Allah Akbar, Allah Akbar psalmodierend, gingen sie über die Leichen. Sie zertrampelten sie zu einem blutigen Teppich aus zermalmten Knochen, zerstörten sie wie die beiden Türme in New York.

Ah! Ich könnte endlos mit solchen Zeugenaussagen fortfahren. Ich könnte dir nie ausgesprochene, nie veröffentlichte Dinge sagen ... Denn weißt du, was das Problem ist bei Leuten wie mir, jenen, die zu viel gesehen haben? Dass sie sich irgendwann an die Ungerechtigkeiten, die Gräuel gewöhnen. Wenn sie darüber berichten, kommt es ihnen so vor, als würden sie schon Vorgekautes wiederkäuen, das die anderen anödet, also schweigen sie schließlich. Über die Grausamkeit der vom Koran empfohlenen und von den Luxuszikaden nie verdammten Polygamie zum Beispiel könnte ich die Geschichte von Ali Bhutto erzählen: Ali Bhutto, der Staatschef Pakistans, der von seinen extremistischen Gegnern gehenkt wurde. Ich kannte ihn gut. Für das Interview habe ich ihn fast vierzehn Tage lang in Pakistan begleitet. Und eines Abends erzählte er mir, ohne dass ich ihn danach gefragt hätte, die Wahrheit über seine erste Ehe. Eine Ehe, die gegen seinen Willen geschlossen wurde, als er noch keine dreizehn Jahre alt war. Die Braut, eine schon erwachsene Frau, war seine Cousine. Das gestand er mir unter Tränen. Eine Träne lief ihm die Nase entlang bis zum Mund, wo er sie ableckte. Den darauf folgenden Tag bereute er jedoch seine Vertraulichkeit. Er bat mich, einige Details zu streichen, und ich nahm sie heraus, weil ich stets größte Achtung vor der Privacy der Menschen gehegt habe. Ich fühlte mich immer unwohl, wenn ich mir ihre persönlichen Angelegenheiten anhörte und sie weitererzählte. (Ich weiß noch, wie schwungvoll ich in Jerusalem Golda Meir unterbrach, die mir, ebenfalls ohne Aufforderung, die Geschichte ihrer unglücklichen Beziehung zu ihrem Mann anvertraute: »Golda, sind Sie wirklich sicher, dass Sie mit mir darüber sprechen wollen?«) Nach zwei, drei Jahren traf ich Bhutto rein zufällig noch einmal. In Italien. In einer Buchhandlung in Rom, purer Zufall. Er lud mich zu einer Tasse Tee ein, und wir unterhielten uns einige Zeit über die islamische Welt, dann sagte er: »Wissen Sie, es war falsch von mir, Sie zu bitten, die Geschichte meiner ersten Ehe zu beschönigen. Eines Tages sollten Sie sie ganz erzählen.«

Richtig. Also nicht nur von der Erpressung, mit der man ihn im Alter von weniger als dreizehn Jahren genötigt hatte, die Cousine zu heiraten, die schon eine Frau war. »Wenn du brav bist, wenn du die Ehe vollziehst, bekommst du ein schönes Geschenk: ein Paar Rollschuhe.« (Oder Kricketschläger? Ich weiß es nicht mehr genau.) Sondern auch von dem Hochzeitsfest, an dem die Braut nicht teilnahm, da sie ja eine Frau, das heißt ein niederes Wesen war. Und nach dem Hochzeitsfest kam die Nacht, in der die mit Rollschuhen oder Kricketschlägern erkaufte Ehe vollzogen werden sollte. »Wir vollzogen sie nicht ... Ich war wirklich viel zu jung, noch ein Kind ... Ich wusste nicht, was ich tun, was ich sagen sollte ... Und anstatt mir zu helfen, weinte meine Braut. Sie weinte und weinte. Also fing ich auch zu weinen an. Dann schlief ich, müde vom Weinen, ein, und am nächsten Tag verließ ich sie, um nach England auf die Schule zu gehen. Ich sollte sie erst nach meiner zweiten Ehe wiedersehen, als ich längst in meine zweite Frau verliebt war und ... Wie soll ich es sagen? Ich bin kein Freund der Keuschheit und werde oft beschuldigt, ein Frauenheld zu sein. Ein Don Juan. Und doch habe ich von meiner ersten Frau keine Kinder. Ich meine, trotz ihrer Anmut und Schönheit habe ich sie nie in die Lage versetzt, Kinder zu bekommen ... Der Alptraum jener ersten Nacht hat mich immer daran gehindert. Und wenn ich sie in Larkana besuche, wo sie mutterseelenallein und verlassen lebt, wo sie sterben wird, ohne je einen Mann berührt zu haben, denn wenn sie einen anderen Mann berührt, begeht sie Ehebruch und wird gesteinigt, dann schäme ich mich für mich selbst und meine Religion.« (Bitte sehr, Bhutto. Wo immer Sie sein mögen, und ich bin sicher, dass Sie nirgendwo anders als auf dem Friedhof sind, seien Sie gewiss, ich habe Ihren Wunsch erfüllt. Ich habe schließlich Ihre Geschichte ganz erzählt.)

* * *

Vor allem im Hinblick auf die Verachtung, mit der die Moslems die Frauen behandeln, könnte ich unerhörte Beispiele anbringen. Beispiele, gegen die selbst Bhuttos erste Ehe nur ein bedauerlicher Fall ist ... Meine Beinah-Hochzeit in Qom, ein Scherz. Denn diese Episoden zeigen zweifellos, dass die Söhne Allahs auch dem Tod einer Frau nicht die geringste Bedeutung beimessen. 1973 sprach ich in Amman darüber mit König Hussein von Jordanien. Einem Mann, der meiner Meinung nach so moslemisch war, wie ich katholisch bin. So sympathisch, klug und zivilisiert, dass ich mich noch heute frage, ob er wirklich im Schatten der Minarette geboren und aufgewachsen war. Denk nur, dass ich einmal (damals begegnete ich ihm ziemlich häufig) zu ihm sagte: »Majestät, ich muss gestehen, dass es mich als Republikanerin außerordentlich stört, Sie Majestät zu nennen.« Und statt mir das übel zu nehmen, lachte er laut auf und antwortete: »Na, dann nennen Sie mich doch einfach Hussein!« Dann fügte er hinzu, dass die Arbeit als König genauso sei wie jede andere auch. »A job like another one.« Ich sprach mit ihm über die Frauenfeindlichkeit der Moslems und erzählte ihm, was die palästinensischen Fedajin einer geheimen Militärbasis in Jordanien mir während eines israelischen Bombardements angetan hatten. Sie selbst, Vertreter des männlichen Geschlechts und folglich überlegene Wesen, hatten sich in einen soliden Bunker geflüchtet. Mich, armes Weib und folglich ein niederes Wesen, hatten sie in ein Sprengstofflager eingeschlossen. (Du kannst dir vorstellen, welches Entsetzen mich packte, als ich auf ihr höhnisches Gelächter hin ein Streichholz anzündete, um zu sehen, wo ich mich eigentlich befand, und die Kisten mit der Aufschrift Explosive-Dynamite-Explosive sah.) Er regte sich fürchterlich auf, der arme Hussein. »In meinem Land, in meinem Reich!«, ächzte er. Doch lassen wir die persönlichen Angelegenheiten beiseite und halten uns an das, was ich vorgestern Abend im Fernsehen gesehen habe. Einen entsetzlichen Dokumentarfilm, kürzlich in Kabul gedreht von einer mutigen, angloafghanischen Journalistin, an der mich besonders ihre weiche, traurige Stimme und ihr kummervolles, entschlossenes Gesicht faszinierten.

Technisch gesehen war der Film nicht perfekt, aber er zeigte so grauenhafte Dinge, dass er mir unerwartet nahe ging, obwohl mich der Vorspann schon hatte aufhorchen lassen. »We warn our spectators. Wir warnen unsere Zuschauer. This program contains very disturbing images. Dieser Film enthält sehr verstörende Bilder.«

Wurde er auch im italienischen Fernsehen gezeigt? Egal, ob er gezeigt wurde oder nicht, ich sage dir jetzt, was das für verstörende Bilder waren. Es sind Photogramme, die die Hinrichtung dreier Frauen zeigen, wodurch sie sich schuldig gemacht haben, weiß man nicht. Eine Hinrichtung, die auf dem Hauptplatz von Kabul stattfindet, der mehr einem trostlosen Parkplatz gleicht. Und auf diesem trostlosen Parkplatz fährt auf einmal ein Lieferwagen vor, aus dem drei Objekte steigen. Drei Objekte, drei Frauen, verhüllt mit diesen Laken, die kleine Löcher auf Höhe der Augen aufweisen, auch Burkah genannt. Die der ersten ist braun, die der zweiten weiß, die der dritten grau. Die Frau in der braunen Burkah ist sichtlich außer sich vor Angst. Sie schlottert, taumelt, kann sich kaum auf den Beinen halten. Die Frau in der weißen Burkah macht kleine, tastende Schritte, als fürchtete sie zu stolpern und sich wehzutun. Die Frau in der grauen Burkah, sehr klein und schmal, geht dagegen entschlossen voran und bleibt dann stehen. Sie macht eine Handbewegung, als wolle sie ihre Gefährtinnen stützen, sie ermutigen, aber sofort fährt ein Bartträger in Rock und Turban grob dazwischen. Er trennt sie, stößt sie vorwärts und zwingt sie, auf dem Boden niederzuknien. All das geschieht unter den Augen einiger Männer, die den Platz überqueren, Datteln essen, in der Nase bohren oder gähnen, als ginge das Ganze sie gar nichts an. Nur ein Junge im Hintergrund beobachtet die Gruppe mit einer gewissen Neugier. Die Hinrichtung erfolgt rasch. Ohne Verlesen eines Urteils, ohne Trommelwirbel, ohne Erschießungskommando, das heißt ohne Zeremoniell oder Feierlichkeit. Kaum knien die drei Frauen auf dem Boden, taucht aus dem Nirgendwo ihr Henker auf, ein weiterer Bartträger in Rock und Turban, der ein Maschinengewehr in der rechten Hand hält. Er trägt es wie eine Einkaufstasche. Gelangweilt und gemächlich kommt er näher wie einer, der ihm vertraute und vielleicht alltägliche Gesten wiederholt, und geht auf die drei zu, die warten, ohne sich zu rühren, und in ihrer Reglosigkeit gar keine menschlichen Wesen zu sein scheinen. Wie auf dem Boden abgestellte Bündel sehen sie aus. Von hinten tritt er an sie heran und schießt unvermittelt aus nächster Nähe der Frau in der braunen Burkah in den Nacken. Sie fällt nach vorn, ist sofort tot. Danach schlendert er genauso gemächlich und gelangweilt einen Meter weiter und schießt der Frau in der weißen Burkah in den Nacken. Sie fällt ebenfalls nach vorn, direkt aufs Gesicht. Danach geht er wieder einen Meter weiter, zögert einen Augenblick, er kratzt sich an den Genitalien. Langsam, befriedigt. Dann schießt er der Frau in der grauen Burkah in den Nacken, die nicht gleich nach vorne fällt wie ihre Gefährtinnen, sondern noch einige Sekunden dort kniet, regungslos. Hoch aufgerichtet. Stolz. Schließlich kippt sie zur Seite und hebt in einer letzten Geste der Auflehnung einen Zipfel der Burkah, sie entblößt ein Bein. Der Mann deckt es jedoch ungerührt wieder zu und ruft die Totengräber, die rasch die drei Leichen an den Knöcheln packen. Drei breite Blutspuren auf dem Asphalt hinterlassend, schleppen sie sie fort wie Müllsäcke, und auf dem Bildschirm erscheint der Außen- und Justizminister, Herr Wakil Motawakil. (Ja, ich habe mir seinen Namen aufgeschrieben. Man weiß nie, welche Chancen das Leben noch bietet. Eines Tages könnte ich ihm auf einer menschenleeren Straße begegnen, und bevor ich ihn töte, sollte ich vielleicht seine Identität überprüfen. »Are you really Mister Wakil Motawakil?«)

Er ist ein dicker Kerl zwischen dreißig und vierzig, Mister Wakil Motawakil. Sehr fett, mit fettem Turban, fettem Bart, fettem Schnauzer und kreischender Kastratenstimme. Als er über die drei Frauen spricht, frohlockt er. Bebt wie ein Wackelpudding und zwitschert: »This is a very joyful day.

Das ist ein freudiger Tag für uns. Today we gave back peace and security to our city. Heute haben wir unserer Stadt Frieden und Sicherheit zurückgegeben.« Allerdings sagt er nicht, auf welche Weise die drei Frauen den Frieden und die Sicherheit der Stadt gefährdet hatten, für welches Vergehen oder Verbrechen sie verurteilt und hingerichtet wurden. Hatten sie etwa die Burkah abgenommen, um auf die Toilette zu gehen? Hatten sie etwa ihr Gesicht entblößt, um ein Glas Wasser zu trinken? Oder hatten sie das Gesangsverbot missachtet und ihren Kindern ein Schlaflied vorgesungen? Womöglich hatten sie sich des schlimmsten aller Verbrechen schuldig gemacht: lachen. (Ja: lachen. Ich habe lachen gesagt. Wussten Sie nicht, dass die Frauen im Afghanistan der Taliban nicht lachen dürfen, dass es ihnen sogar verboten ist zu lachen?) Alle diese Fragen bedrängen mich, bis Wakil Motawakil verschwindet und ich auf dem Bildschirm einen Salon voller junger Mädchen ohne Burkah sehe. Hübsche Mädchen mit unbedeckten Gesichtern, bloßen Armen, ausgeschnittenen Kleidern. Eine lacht voller Freude, frech. Eine lockt sich die Haare, eine schminkt sich die Augen oder die Lippen, eine andere lackiert sich die Nägel. Daraus schließe ich, dass wir nicht mehr in Afghanistan sind, dass die mutige Journalistin nach London zurückgekehrt ist, wo sie uns mit einem hoffnungsfrohen Ende trösten will. Falsch. Wir sind immer noch in Kabul, und die mutige Journalistin ist so verängstigt, dass ihre feste, traurige Stimme ganz rau, ja fast erstickt klingt. Mit dieser rauen, fast erstickten Stimme flüstert sie: »Um die Bilder aufzunehmen, die Sie hier sehen, gehen meine Truppe und ich ein großes Risiko ein. Wir befinden uns nämlich an einem der verbotensten Orte der Stadt: in einem klandestinen Geschäft, einem Symbol des Widerstands gegen das Talibanregime. In einem Friseursalon.« Und schaudernd fällt mir ein, was ich, ohne mir dessen bewusst zu sein, im Jahr 1980 (Interview mit Khomeini) einem Friseur in Teheran angetan habe. Einem höflichen Iraner, dessen Salon »Chez Bashir – Coiffeur pour Dames« von den Militärbanden der Regierung als Ort des Verderbens und der Sünde geschlossen worden war. Denn da ich wusste, dass Bashir alle meine Bücher auf Farsi besaß und gelesen hatte, konnte ich ihn überreden, seinen Laden eine halbe Stunde für mich zu öffnen. Seien-Sie-so-freundlich-Bashir. Nur-eine-halbe-Stunde, ich-muss-mir-die-Haare-waschen, und-in-meinem-Zimmer-gibt-es-kein-heißes-Wasser. Armer Bashir. Als er die von den Militärbanden angebrachten Siegel entfernte, zitterte er wie ein nasser Hund. Er ließ mich eintreten und sagte: »Sie verstehen nicht, Madame, welcher Gefahr Sie mich und auch sich selbst aussetzen! Wenn uns jemand entdeckt oder davon erfährt, lande ich sofort im Gefängnis und Sie mit mir!« An jenem Tag entdeckte uns niemand. Doch acht Monate später, als ich nach Teheran zurückkehrte (noch so eine hässliche Geschichte, über die ich nie gesprochen habe) und ihn besuchen wollte, sagte man mir: »Wissen Sie das nicht? Nach Ihrer Abreise hat jemand alles verraten. Sie haben Bashir festgenommen, und er sitzt noch im Gefängnis.«

Ich erinnere mich und begreife, dass die drei Frauen auf dem Marktplatz getötet wurden, weil sie zum Friseur gegangen waren. Ich begreife, dass es sich um drei Kämpferinnen, drei Heldinnen handelt, und jetzt frage ich dich: Ist das die Kultur, die du meinst, wenn du von Kontrast-zwischen-zwei-Kulturen sprichst?!? O nein, mein Lieber: nein. Abgelenkt von meiner Liebe zur Freiheit, habe ich am Anfang gesagt, dass auf der Welt für alle Platz sei, dass meine Mama immer sagte die-Welt-ist-schön-weil-sie-bunt-ist, dass moslemische Frauen selber schuld seien, wenn sie so dumm sind, solche Gemeinheiten zu akzeptieren: Das-Wichtigste-ist-dass-solche-Gemeinheiten-nicht-mir-aufgezwungen-werden. Der-Rest-geht-mich-nichts-an. Aber das ist ungerecht. Unannehmbar. Denn als ich diese Überlegung anstellte, hatte ich vergessen, dass die Freiheit ohne Gerechtigkeit nur eine halbe Freiheit ist und dass es eine Beleidigung der Gerechtigkeit bedeutet, nur die eigene Freiheit zu verteidigen. Hiermit bitte ich die drei Heldinnen und alle Frauen um Verzeihung, die von den Söhnen Allahs hingerichtet gefoltert gedemütigt zu Märtyrerinnen gemacht oder in die Irre geleitet wurden, so sehr in die Irre geleitet, dass sie sich dem Zug anschlossen, der die zwölf Toten im Stadion von Dhaka zertrampelte, und erkläre, dass die Sache mich sehr wohl etwas angeht. Sie geht uns alle an, meine Herren und Damen Zikaden, und …

Den männlichen Zikaden, das heißt den Heuchlern, die gegen die »Kultur« der Burkah nie den Mund aufmachen, nie einen Finger rühren, habe ich nichts zu sagen. Die Misshandlungen, die Frauen auf Geheiß oder mit Billigung des Korans erleiden, werden bei ihrer Interpretation von Fortschritt oder Gerechtigkeit nicht in Betracht gezogen, und ich hege den Verdacht, dass sie insgeheim sehr neidisch auf Wakil Motawakil sind. (Der-Glückliche-er-kann-sie-einfach-hinrichten-lassen.) Nicht selten schlagen sie ja selbst ihre Frauen. Den homosexuellen Zikaden, ebenso wenig. Vom Ärger verzehrt, nicht ganz weiblich zu sein, verabscheuen sie sogar die Unglücklichen, die sie zur Welt gebracht haben, und sehen in den Frauen nur eine Eizelle, um ihre ungewisse Spezies zu klonen. Den Zikaden weiblichen Geschlechts dagegen, das heißt den Feministinnen mit dem schlechten Gedächtnis, habe ich allerdings etwas zu sagen. Herunter mit der Maske, ihr falschen Amazonen. Erinnert ihr euch noch an die Jahre, in denen ihr mich mit Beleidigungen überhäuft habt, anstatt mir dafür zu danken, dass ich euch den Weg geebnet habe, indem ich nämlich bewiesen habe, dass eine Frau jede Arbeit mindestens genauso gut oder besser machen kann als ein Mann? Erinnert ihr euch an die Jahre, in denen ihr mich, anstatt mich als Vorbild hinzustellen, als schmutziges Macho-Weib, als Macho-Schwein bezeichnet und gesteinigt habt, weil ich ein Buch mit dem Titel *Brief an ein nie geborenes Kind* geschrieben hatte? »Hässlich, hässlich, hässlich. Das hält sich höchstens einen Sommer.« (Inzwischen hält es sich schon dreißig Jahre.) Und auch: »Die denkt mit der Gebärmutter.« Nun, wo ist euer galliger Feminismus geblieben? Wo ist euer angeblicher Kampfgeist geblieben? Wie kommt es, dass ihr hinsichtlich eurer afghanischen Schwestern, der von den Macho-Schweinen in Rock und Turban hingerichteten gefolterten gedemütigten zu Märtyrerinnen gemachten oder in die Irre geleiteten Frauen, das Schweigen eurer kleinen Zuhälter nachahmt? Wie kommt es, dass ihr nicht mal ein kleines Protestgeschrei anstimmt vor der Botschaft von Afghanistan oder Saudi-Arabien oder irgendeinem anderen moslemischen Land? Habt ihr euch alle in den faszinierenden Usama Bin Laden vergafft, in seine großen Torquemada-Augen, in seine dicken Lippen und in das, was er unter seinem schmutzigen Rock hat? Findet ihr ihn romantisch, haltet ihr ihn für einen Helden, träumt ihr alle davon, von ihm vergewaltigt zu werden? Oder ist euch die Tragödie eurer moslemischen Schwestern scheißegal, weil ihr sie für minderwertig haltet? Wer ist denn hier rassistisch: ich oder ihr? Die Wahrheit ist, dass ihr nicht einmal Zikaden seid. Ihr seid und wart seit jeher Hennen, die nur im Hühnerstall zu gackern verstehen, gack, gack, gack. Parasitinnen, die bei dem Versuch, groß herauszukommen, immer einen Hahn, einen Zuhälter, einen Schutzengel gebraucht haben.

Stopp. Lass mich nun die Schlussfolgerung aus meinem Gedankengang darlegen.

* * *

Weißt du, wenn ich dermaßen verzweifelt bin, habe ich nicht nur die apokalyptischen Szenen vom 11. September 2001 vor Augen: Die Körper, die dutzendweise aus dem achtzigsten und neunzigsten und hundertsten Stockwerk fallen, der erste Turm, der implodiert und sich selbst verschluckt, der zweite, der schmilzt, als wäre er ein Stück Butter. Oft schiebt sich über die beiden Türme, die es nicht mehr gibt, das Bild der beiden Jahrtausende alten Buddhas, die die Taliban vor sechs Monaten in Afghanistan zerstörten. Die Bilder mischen sich, verschmelzen, werden zu ein und derselben Sache, und ich denke: Haben die Leute denn diese Untat schon vergessen? Ich nicht. Jedes Mal, wenn ich die zwei kleinen Buddhas betrachte, die in meinem living-room stehen und die mir ein alter, von den

Roten Khmer verfolgter Mönch in Pnomh Penh während des Krieges in Kambodscha schenkte, krampft sich mein Herz zusammen. Es zerspringt und anstelle der zwei kleinen Messingbuddhas sehe ich die beiden riesigen Buddhas vor mir, die in den Felsen gehauen im Tal von Bamiyan standen. In dem Tal, durch das vor Tausenden von Jahren die voll beladenen Karawanen aus dem Römischen Reich in den Fernen Osten zogen oder umgekehrt. An dem Ort, durch den die legendäre Seidenstraße führte, an dem sich alle Kulturen trafen und vermischten. (Welch schöne Epoche.) Ich sehe beide Buddhas vor mir, weil ich alles über sie weiß. Dass der ältere (drittes Jahrhundert) fünfunddreißig Meter hoch war. Der andere (viertes Jahrhundert) beinahe vierundfünfzig. Dass beide am Rücken mit dem Felsen verbunden und ganz mit polychromem Stuck überzogen waren. Rot, gelb, grün, blau, violett. Dass ihre Gesichter und ihre Hände vergoldet waren. Dass sie in der Sonne funkelten, gleißend wie kolossale Juwelen. Dass im Innern der Nischen (von jetzt an ebenso leer wie leere Augenhöhlen), die glatten Wände mit erlesenen Fresken bedeckt waren. Dass bis zum Tag des Verbrechens auch die Fresken erhalten waren …

Mir krampft sich das Herz zusammen, denn ich verehre Kunstwerke genauso wie die Moslems das Grab Mohammeds verehren. Für mich ist ein Kunstwerk so heilig wie für sie ihr

Mekka, und je älter es ist, umso heiliger ist es. Im Übrigen ist mir jeder Gegenstand aus der Vergangenheit heilig. Eine Versteinerung, ein Terrakottafigürchen, eine kleine Münze, ein jegliches Zeugnis dessen, was wir waren und taten. Die Vergangenheit erregt meine Neugier weit mehr als die Zukunft, und ich werde nie müde zu behaupten, dass die Zukunft eine Hypothese ist. Eine Vermutung, eine Annahme, das heißt eine Nicht-Realität. Allerhöchstens eine Hoffnung, der wir in Träumen und Phantasien Gestalt zu verleihen suchen. Die Vergangenheit dagegen ist eine Gewissheit. Eine konkrete Größe, eine feststehende Realität, eine Schule, ohne die man nicht überleben kann, denn wer die Vergangenheit nicht kennt, versteht die Gegenwart nicht und kann nicht versuchen, mit Träumen und Phantasien auf die Zukunft einzuwirken. Und außerdem ist jeder auf uns gekommene Gegenstand kostbar, weil er die Illusion von Ewigkeit in sich trägt. Weil er einen Sieg über die Zeit darstellt, die abnutzt, welken lässt und tötet. Besser, weil er eine Überwindung des Todes bedeutet. Und wie die Pyramiden, das Parthenon, das Kolosseum, wie eine schöne Kirche oder eine schöne Synagoge oder eine schöne Moschee oder ein tausendjähriger Baum, zum Beispiel die Sequoien in der Sierra Nevada, gaben mir die beiden Buddhas von Bamiyan genau dieses Gefühl. Aber diese Hurensöhne, diese Wakil Motawakils haben sie mir zerstört. Sie haben sie mir getötet.

Mir krampft sich auch das Herz zusammen, wenn ich daran denke, wie sie sie getötet haben: wie kaltherzig und, zugleich, mit welcher Genugtuung sie die Untat begangen haben. Sie haben sie nämlich nicht in einer Aufwallung von Wahnsinn zerstört, in einem plötzlichen und vorübergehenden Zustand, den das Gesetz als »Unzurechnungsfähigkeit« bezeichnet. Sie haben nicht mit der Irrationalität der chinesischen Maoisten gehandelt, die 1951 Lhasa zerstörten, die Klöster und den Palast des Dalai Lama stürmten und wie betrunkene Büffel die Denkmäler einer Kultur dem Erdboden gleichmachten. Sie verbrannten die tausendjährigen Pergamentrollen, zerschlugen die tausendjährigen Altäre, zerfetzten die tausendjährigen Mönchsgewänder und funktionierten sie um zu Theaterkostümen. (Die Buddhas aus Gold und Silber schmolzen sie ein, machten Barren daraus: mögen sie vor Scham ersticken ad saecula saeculorum amen.) Doch siehst du, der Zerstörung von Lhasa ging kein Prozess voraus. Sie erfolgte nicht nach einem Urteil. Sie trug nicht die Merkmale einer aufgrund von Rechtsnormen oder angeblichen Rechtsnormen beschlossenen Exekution. Und sie geschah, ohne dass die Welt es wusste, das heißt, ohne dass irgendjemand eingreifen konnte, um sie zu verhindern oder aufzuhalten. Im Fall der Buddhas von Bamiyan dagegen gab es einen echten Prozess. Es gab ein echtes Urteil, dann eine aufgrund von Rechtsnormen oder angeblichen Rechtsnormen beschlossene Exekution. Ein genau überlegtes Verbrechen also. Bewusst geplant und ausgeführt unter den Augen der ganzen Welt, die auf Knien um Gnade für die Statuen flehte. Die UNO ging auf die Knie, die UNESCO, die Europäische Union, die Nachbarländer flehten, das heißt Russland, Indien, Thailand, sogar China, dem die Sünde von Lhasa noch schwer im Magen lag. »Wir beschwören euch, gnädige Herren Taliban, tut es nicht. Die archäologischen Zeugnisse gehören zum Weltkulturerbe, und die beiden Buddhas von Bamiyan stören doch keinen.« Doch es half alles nichts. Erinnerst du dich an den Urteilsspruch des Höchsten Islamischen Gerichtshofs in Kabul? »Alle vorislamischen Statuen werden gestürzt. Alle vorislamischen Symbole werden zusammen mit den vom Propheten verdammten Götzenbildern hinweggefegt ...« Am 26. Februar 2001 (nicht 1001) wurde dieses Urteil verkündet: am selben Tag, an dem sie öffentliche Hinrichtungen durch den Strang in den Stadien genehmigten und den Frauen die letzten ihnen noch verbliebenen Rechte nahmen. (Neben dem Recht zu lachen auch das Recht, Stöckelschuhe zu tragen. Das Recht zu singen. Das Recht, ohne schwarze Vorhänge an den Fenstern zu Hause zu sein.) Erinnerst du dich an die Misshandlungen, die die beiden Buddhas gleich danach erlitten? Die Maschinengewehrsalven ins Gesicht, dass die Nase absprang, das Kinn verschwand, die Wange herunterfiel. Erinnerst du dich an die Pressekonferenz des Ministers Qadratullah Jamal? »Da wir befürchten, dass die Granaten, die Kanonenkugeln und die fünfzehn Tonnen Sprengstoff, die wir zu Füßen der beiden Götzenbilder aufgehäuft haben, nicht ausreichen, haben wir einen Abbruchexperten sowie ein befreundetes Land um Hilfe gebeten. Und da der Kopf und die Beine schon abgeschlagen wurden, schätzen wir, dass das Urteil innerhalb von drei Tagen restlos vollstreckt werden kann.« (Mit ›Abbruchexperten‹ ist, glaube ich, Usama Bin Laden gemeint. Mit ›befreundetes Land‹ Pakistan.) Nun, erinnerst du dich an die eigentliche Exekution zum Schluss? An die beiden dumpfen Explosionen? Die zwei dicken fetten Staubwolken … Sie sahen aus wie die Wolken, die sechs Monate später von den beiden Türmen in New York aufsteigen sollten. Und ich dachte an meinen Freund Kon-dun.

* * *

Tja: 1968, musst du wissen, interviewte ich einen ganz außergewöhnlichen Mann. Den friedliebendsten, sanftesten, weisesten Mann, den ich in meinem Leben ohne Illusionen kennen gelernt habe: den heutigen Dalai Lama, den die Buddhisten den lebenden Buddha nennen. Er war damals dreiunddreißig Jahre alt, nicht viel jünger als ich. Und seit neun Jahren ein entthronter Herrscher, ein Papst, oder besser gesagt, ein Gott im Exil. Als solcher lebte er in Dharamsala, einem Städtchen in Kaschmir zu Füßen des Himalaja, wo ihn die indische Regierung zusammen mit ein paar Dutzend Mönchen und einigen Hundert aus Lhasa geflüchteten Tibetern aufgenommen hatte. Es war eine lange, unvergessliche Begegnung. Wir tranken in der kleinen Villa mit Blick auf die weißen Berge und die blau glitzernden, scharfkantigen Gletscher Tee, gingen in dem Garten voller duftender Rosensträucher spazieren und verbrachten so einen ganzen Tag zusammen. Er antwortete auf meine Fragen. Ich lauschte seiner schönen, frischen und hellen Stimme. Oh! Auf den ersten Blick hatte er begriffen, mein junger Gott, dass ich eine Frau ohne Könige ohne Päpste ohne Götter war. Genau hatte er mich bei meiner Ankunft mit den durch die Brille mit Goldrand noch scharfsichtiger wirkenden Mandelaugen gemustert. Und doch behielt er mich den ganzen Tag bei sich. In seiner grenzenlosen Liberalität behandelte er mich, als sei ich eine alte Freundin oder besser ein Mädchen, dem man den Hof machen muss. Und aus diesem Grund, glaube ich, tat er gegen Mittag etwas Seltsames, was ich noch nie erzählt habe. Mit der Entschuldigung, es sei so heiß, ging er sich umziehen, und anstelle des kostbaren Schals aus rostroter Wolle, den er über der orangefarbenen Kutte getragen hatte, zog er ein T-Shirt mit Popeye darauf an. Ja, Popeye, der Comicfigur, die immer eine Pfeife im Mund hat und Dosenspinat isst. Und als ich ihn lachend fragte, wo er so ein Kleidungsstück gefunden und warum er es angezogen habe, erwiderte er seelenruhig: »Ich habe es auf dem Markt in New Delhi gekauft. Und ich habe es angezogen, um Ihnen eine Freude zu machen.«

Er gab mir ein wunderschönes Interview. Zum Beispiel erzählte er mir von seiner ernsten, freudlosen Kindheit, die er mit seinen Lehrmeistern und über den Büchern verbrachte, mit sechs Jahren studierte er schon Sanskrit und Astrologie und Literatur, mit zehn Dialektik und Metaphysik und Astronomie, mit zwölf die Kunst, zu befehlen und zu regieren ... Er erzählte mir von seiner unglücklichen Jugend, die er mit der Bemühung verbrachte, ein vollkommener Mönch zu werden, die Versuchungen zu überwinden, das Begehren abzutöten, indem er den Gemüsegarten seines Kochs aufsuchte und dort riesige Kohlköpfe züchtete. »Ein Meter Durchmesser, eh?« Er erzählte mir von seiner Liebe zur Mechanik und zur Elektrizität und vertraute mir an, dass er Mechaniker oder Elektriker geworden wäre, wenn er einen Beruf hätte wählen können ... »In Lhasa reparierte ich so gern den elektrischen Generator, nahm die Motoren auseinander und baute sie wieder zusammen. In der Garage des Königspalasts entdeckte ich drei alte Autos, die irgendjemand meinem Vorgänger, dem dreizehnten Dalai Lama, zum Geschenk gemacht hatte. Zwei Baby Austin von 1927, ein himmelblauer und ein gelber, und ein orangefarbener Dodge Jahrgang 1931. Sie waren alle verrostet. Ich bastelte so lange an ihnen herum, bis es mir gelang, sie wieder funktionstüchtig zu machen und sogar zu fahren. Leider konnte ich sie nur im Hof fahren: in Lhasa gab es nur Maultierpfade und Feldwege.« Er sprach auch über Mao Tse-tung, der ihn an seinem achtzehnten Geburtstag nach China eingeladen hatte und ihn, bezaubert von seiner Klugheit, elf Monate bei sich in Peking behielt. »Ich blieb in der Hoffnung, es würde helfen, Tibet zu retten. Im Gegenteil ... Aber wer weiß: Vielleicht wollte er es wirklich retten und wurde daran gehindert. Armer Mao ... Wissen Sie, Mao Tse-tung hatte etwas Trauriges an sich. Etwas Rührendes. Seine Schuhe waren immer schmutzig, er zündete eine Zigarette nach der anderen an und diskutierte ununterbrochen über Marxismus. Doch er sagte nie etwas Dummes.« Er sprach auch von den Gräueltaten, die die Maoisten in Tibet begangen hatten. Den Klöstern, die geplündert und angezündet wurden, den Mönchen, die gefoltert und niedergemetzelt wurden, den Bauern, die von den Feldern gejagt und massakriert wurden. Und von der Flucht, zu der er gezwungen worden war. Der Flucht eines vierundzwanzigjährigen Herrschers, der als Soldat verkleidet den Königspalast verlässt, sich im Schutz der Dunkelheit unter die terrorisierte Menge mischt und den Stadtrand von Lhasa erreicht. Dort springt er auf ein Pferd, galoppiert zwei Wochen lang, gehetzt von einem tief fliegenden chinesischen Flugzeug. Er versteckt sich in Höhlen und galoppiert, duckt sich ins Gebüsch und galoppiert. Von Dorf zu Dorf gelangt er schließlich nach Kaschmir, wo der Pandit Nehru ihm Asyl gewährt. Doch er ist längst ein König ohne Reich, ein Papst ohne Kirche, ein Gott ohne Gläubige. Und da der größte Teil der Tibeter über Indien, Nepal und Sikkim verstreut ist, wird es bei seinem Tod praktisch unmöglich sein, seinen Nachfolger zu suchen. Mit ziemlicher Sicherheit ist er der letzte Dalai Lama. An diesem Punkt unterbrach ich ihn. Ich war überzeugt davon, dass der Hass in seinem Herzen wohnt, und fragte: »Heiligkeit, werden Sie Ihren Feinden je verzeihen können?« Er sah mich erstaunt an. Überrascht, misstrauisch, vielleicht beleidigt, doch vor allem verblüfft. Dann rief er mit seiner schönen, frischen, hellen Stimme: »Welchen Feinden? Feinden?!? Ich habe sie nie als Feinde betrachtet! Ich habe keine Feinde! Ein Buddhist hat keine Feinde!«

Ich war aus Vietnam nach Dharamsala gekommen, verstehst du. In jenem Jahr in Vietnam hatte ich als Kriegsberichterstatterin die Tet-Offensive und die Mai-Offensive, die Belagerung von Khe Sanh und die Schlacht von Hué am eigenen Leib erfahren ... Ich kam aus einer Welt, wo das Wort Feind-enemy-ennemi-Feind jede Sekunde fiel, es war Teil unseres Lebens. Ich meine, sein Klang war so vertraut wie der unseres Atems. Als ich den Satz ich-habe-keine-Feinde, ich-habe-sie-nie-als-Feinde-betrachtet hörte, verliebte ich mich beinahe in den jungen Mann mit den Mandelaugen und dem Popeye-T-Shirt. Beim Abschied gab ich ihm meine Telefonnummern, was ich schon damals so gut wie nie tat, und sagte zu ihm: »Wenn Sie nach Florenz oder nach New York kommen, Heiligkeit, rufen Sie mich an.« Auf diese Einladung antwortete er: »Gewiss doch, natürlich. Aber unter der Bedingung, dass Sie mich nicht mehr Heiligkeit nennen. Ich heiße Kon-dun.« Danach sah ich ihn nie wieder, außer im Fernsehen, wo ich verfolgen konnte, dass er genauso alterte wie ich, und verlor den Kontakt. Nur einmal überbrachte mir jemand Grüße von ihm, der-Dalai-Lama-hat-mich-gefragt-wie-es-dir-geht, und ich reagierte mit Schweigen. Unsere Leben hatten so unterschiedliche, einander ferne Wege eingeschlagen ... Doch habe ich in diesen dreiunddreißig Jahren die Worte des jungen Mönchs nie vergessen, die mich so gerührt hatten. Ich habe mich genauer über seine Religion informiert und herausgefunden, dass die Buddhisten, im

Gegensatz zu den Moslems mit ihrem Auge-um-Auge-und-Zahn-um-Zahn, und im Gegensatz zu den Christen, die von Vergebung sprechen, aber die Hölle erfunden haben, niemals das Wort »Feind« benutzen. Ich habe auch feststellen können, dass sie niemals mit Gewalt Proselytenmacherei betrieben haben, dass sie niemals unter dem Vorwand der Religion andere Länder erobert haben, sondern sich stets nur verteidigt haben und dass ihnen der Begriff Heiliger Krieg vollkommen fremd ist. Manche ihrer Gegner widersprechen mir. Sie bestreiten, dass der Buddhismus eine friedliche Religion sei, und führen zur Unterstützung ihrer These das Beispiel der kriegerischen Mönche in Japan an. Das mag richtig sein, da es in jeder Familie jemanden mit schlechtem Charakter gibt. Doch sogar die Gegner erkennen an, dass der schlechte Charakter jener kriegerischen Mönche nicht zur Proselytenmacherei genutzt wurde, und sie geben zu, dass die Geschichte des Buddhismus keine wilden Saladine oder Päpste wie Leon IX., Urban II., Innozenz II., Pius II. oder Julius II. verzeichnet. Sie verzeichnet keine Dalai Lamas, die mit Rüstung und Schwert Soldaten anführen, im Namen Gottes ihre Mitmenschen massakrieren und Dörfer zerstören. Dennoch lassen die Söhne Allahs auch die Buddhisten nicht in Ruhe. Sie sprengen ihre Statuen, hindern sie daran, ihre Religion auszuüben. Und ich frage mich: Wen trifft es als Nächstes, nachdem die

Buddhas von Bamiyan in die Luft geflogen sind wie die Wolkenkratzer von New York? Ist sie nur gegen Christen und Juden gerichtet, gegen den Westen, die Grausamkeit der Söhne Allahs? Oder strebt sie, wie Usama Bin Laden ankündigte, danach, die ganze Welt zu unterwerfen?

Die Frage gilt auch, wenn Usama Bin Laden zum Buddhismus übertritt und die Taliban plötzlich liberal werden sollten. Denn Usama Bin Laden und die Taliban (ich werde nie müde, das zu wiederholen) sind nur der jüngste Ausdruck einer Realität, die seit eintausendvierhundert Jahren existiert. Einer Realität, vor der der Westen unerklärlicherweise die Augen verschließt. Vor zwanzig Jahren, mein Lieber, habe ich die Söhne Allahs ohne Usama Bin Laden und ohne die Taliban am Werk gesehen. Ich habe gesehen, wie sie Kirchen zerstörten, Kruzifixe verbrannten, Madonnen schändeten, auf die Altäre urinierten und die Altäre in Aborte verwandelten. In Beirut habe ich sie gesehen. Jenem Beirut, das so schön war und das es heute, durch ihre Schuld, praktisch nicht mehr gibt. Jenem Beirut, wo sie von den Libanesen aufgenommen worden waren, wie die Tibeter von den Indern in Dharamsala, und wo sie, nach und nach, von der Stadt bzw. dem Land Besitz ergriffen hatten. Unter der Schirmherrschaft von Herrn Arafat, der jetzt das Unschuldslamm spielt und seine Vergangenheit als Terrorist verleugnet, hatten sie dort einen Staat im Staat errichtet. Blättere die Zeitungen von damals durch, falls du ein kurzes Gedächtnis hast wie er, oder lies mein *Inschallah* wieder. Es ist zwar ein Roman, aber er fußt auf einer historischen Realität, die alle erlebt und Hunderte von Journalisten beobachtet haben. In allen Sprachen haben sie darüber berichtet. Die Geschichte kann man nicht auslöschen. Man kann sie verfälschen wie der Große Bruder in George Orwells Roman, man kann sie ignorieren, man kann sie vergessen: aber ungeschehen machen kann man sie nicht. Und was die so genannte Linke betrifft, die ein noch kürzeres Gedächtnis hat als Herr Arafat: Erinnert sich denn niemand mehr an die heiligen Worte von Marx und Lenin »Die Religion ist das Opium des Volkes«? Ist niemandem aufgefallen, dass alle islamischen Länder Opfer eines theokratischen Regimes sind, dass sie bei näherem Hinsehen alle Kopien von Afghanistan oder dem Iran sind oder es werden möchten? Herrgott, es gibt kein einziges islamisches Land, das auf demokratische oder wenigstens säkulare Weise regiert wird! Nicht eines! Sogar die von einer Militärdiktatur geknechteten Länder wie der Irak, Libyen und Pakistan, sogar die von einer degradierten Monarchie tyrannisierten wie Saudi-Arabien und Jemen, sogar die von einer vernünftigeren Monarchie beherrschten wie Jordanien und Marokko kommen niemals vom Weg ihrer Religion ab, die jeden Augenblick und alle Lebensbereiche dominiert. Niemals! Kann so eine monströse Größe neben unseren Grundsätzen von Freiheit, unseren demokratischen Regeln, unserer Zivilisation existieren? Können wir sie hinnehmen im Namen der Aufgeschlossenheit, der Nachsicht, des Einfühlungsvermögens oder des Pluralismus? Wenn dem so wäre, warum haben wir dann gegen Mussolini und Hitler gekämpft, gegen Stalin und Mao Tse-tung, warum vergeben wir Castro nicht, warum werfen wir über Milosevics Jugoslawien Bomben ab, warum sprechen wir von Freiheit und Demokratie und Zivilisation, wenn wir unsere Nase in anderer Leute Angelegenheiten stecken? Warum sind die Worte in diesen Zusammenhängen richtig und heilig, aber nicht im Zusammenhang mit den islamischen Diktaturen? Hört auf mit dem Scheiß, ihr Luxuszikaden und Allerweltszikaden: Wohin hat euch eure Fortschrittlichkeit geführt? Wann hat euer Laizismus aufgehört zu existieren? Hat er jemals existiert? Denn wenn er existiert hat, wenn er immer noch existiert, im Verborgenen oder ungehört, wenn er existiert, möchte ich eure Heuchelei mit einer kleinen Frage entlarven: Mit welchem Recht verurteilt ihr Israels Zionismus? Mit welchem Recht verdammt ihr die orthodoxen Juden, die diese lustigen schwarzen Hüte tragen und einen Bart wie Usama Bin Laden und Locken wie Greta Garbo in »Die Kameliendame«?!? Dieses Recht gebührt mir, denn ich bin laizistisch, ein Mensch, der jede Form von religiösem Konflikt ablehnt, ein Freigeist, der nicht einmal den Ausdruck theokratischer Staat zulässt: Dieses Recht gebührt nicht euch, ihr falschen Liberalen. Ihr Kollaborateure. Ihr Verräter.

Und lasst uns nun zu den Pionieren der islamischen Diktatur kommen, die ihre Landeplätze und Siedlungen bereits in meinem Land, in meiner Stadt etabliert haben.

* * *

Ich schlage keine Zelte in Mekka auf. Ich bete keine Vaterunser und Ave-Marias am Grab Mohammeds. Ich gehe nicht in ihre Moscheen, um auf den Marmor zu pinkeln. Und noch viel weniger, um zu kacken. Wenn ich mich in ihren Ländern aufhalte (was mir keine sonderliche Freude bereitet), vergesse ich nie, dass ich zu Gast und Ausländerin bin. Ich achte darauf, sie nicht mit Kleidung oder Gesten oder Verhaltensweisen zu beleidigen, die für uns normal, für sie aber unzumutbar sind. Ich behandle sie mit Respekt, mit Höflichkeit, ich entschuldige mich, wenn ich aus Versehen oder aus Unwissenheit eine ihrer Regeln oder abergläubischen Bräuche verletze. Und während das Bild der zwei zerstörten Türme sich mit dem der beiden getöteten Buddhas mischt, sehe ich nun auch das zwar nicht apokalyptische, aber für mich symbolische Bild des großen Zelts, mit dem somalische Moslems (Somalia steht mit Bin Laden auf sehr gutem Fuße, erinnerst du dich?) vor zwei Jahren im Sommer dreieinhalb Monate lang die Piazza del Duomo in Florenz verschandelt, besudelt und beleidigt haben. Meine Stadt.

Das Zelt wurde aufgestellt, um die zu der Zeit linke italienische Regierung zu tadeln zu verurteilen zu beleidigen, weil diese zögerte, den Somaliern die Pässe zu verlängern, die sie brauchten, um quer durch Europa zu reisen und ihre Verwandtenhorden nach Italien zu holen. Mütter, Väter, Brüder, Schwestern, Onkel, Tanten, Cousins, Cousinen, schwangere Schwägerinnen und womöglich noch Verwandte von Verwandten. Ein Zelt, das vor dem schönen erzbischöflichen Palais stand, auf dessen Trottoir sie ihre Schuhe oder Sandalen aufreihten, welche sie in ihrem Land vor den Moscheen abstellen. Und zusammen mit den Schuhen die leeren Mineralwasserflaschen, mit deren Inhalt sie sich vor dem Gebet die Füße gewaschen hatten. Ein Zelt gegenüber der von Brunelleschi erdachten Kathedrale Santa Maria del Fiore, neben dem tausendjährigen Baptisterium mit den vergoldeten Türen von Ghiberti. Ein Zelt, das wie eine Wohnung eingerichtet war. Stühle, kleine Tische, Chaiselongues, Matratzen zum Schlafen und Vögeln, Gasherde, um Essen zu kochen oder vielmehr den Platz mit Rauch und Gestank zu verpesten. Und dank eines Generators gab es sogar elektrischen Strom. Ein ständig laufender Radio-Kassettenrecorder bereicherte die Szene um das unflätige Geschrei eines Muezzin, der die Gläubigen pünktlich zum Gebet rief, die Ungläubigen ermahnte und mit seiner Stimme den Glockenklang übertönte. Zu alldem kamen noch die widerlichen gelben Urinstreifen, die den Marmor des Baptisteriums schändeten. (Donnerwetter! Sie haben einen starken Strahl, diese Söhne Allahs! Wie machten sie es bloß, dass sie ihr Ziel trafen, das doch von einem Schutzgitter umgeben ist und sich somit beinahe zwei Meter von ihrem Harnapparat entfernt befand?) Und der ekelhafte Gestank ihrer Exkremente, die sie vor dem Portal von San Salvatore al Vescovo deponierten: vor der ehrwürdigen romanischen Kirche aus dem neunten Jahrhundert an der Rückseite der Piazza del Duomo, die die Barbaren in einen Abort verwandelt hatten. Das alles ist dir wohl bekannt.

Du weißt es, denn ich selbst habe dich angerufen und gebeten, in deiner Zeitung darüber zu berichten, erinnerst du dich? Ich rief auch den Bürgermeister von Florenz an, der mich, zugegeben, freundlicherweise zu Hause aufsuchte. Er hörte mich an, er gab mir Recht. »Sie haben Recht, Sie haben ganz Recht ...« Doch entfernen ließ er das Zelt nicht. Er vergaß es oder traute sich nicht. Ich rief auch den Außenminister an, der ein Florentiner war, sogar einer von denen, die mit stark florentinischem Akzent sprechen, und zudem persönlich in die Sache mit den Pässen verwickelt war, mit denen die Söhne Allahs Europa bereisen wollten. Auch er hörte mich an, das gebe ich zu. Und er pflichtete mir bei: »O ja. Sie haben Recht, ja.« Doch wie der Bürgermeister rührte er keinen Finger, um das Zelt zu entfernen. Er traute sich nicht. Daraufhin änderte ich meine Taktik. Ich rief einen Polizisten an, der für die Sicherheit der Stadt verantwortlich zeichnete, und sagte zu ihm: »Lieber Polizist, ich bin kein Politiker. Wenn ich sage, dass ich etwas machen werde, dann mache ich es auch. Wenn ihr bis morgen nicht das verdammte Zelt wegräumt, zünde ich es an. Ich schwöre bei meiner Ehre, dass ich es anzünde, dass es selbst einem ganzen Regiment von Carabinieri nicht gelingen wird, mich aufzuhalten. Und dafür will ich verhaftet werden, mit Handschellen ins Gefängnis kommen. Dann berichten alle Zeitungen und die Tagesschau, Oriana-Fallaci-in-Florenz-festgenommen-weil-sie-ihre-Stadt-verteidigt-hat, und ich stelle euch vor aller Welt bloß.« Nun, da er weniger dumm war als die anderen oder vielleicht schneller begriff, dass dies ihm ein wenig Ruhm einbringenkönnte, gehorchte der Polizist. Anstelle des Zeltes blieb nur ein riesiger, widerlicher Dreckfleck zurück: ein Überbleibsel des Zeltlagers, das dreieinhalb Monate gedauert hatte. Doch es war ein Pyrrhussieg. Gleich darauf wurden nämlich den Somaliern vom Außenminister die Pässe verlängert. Die Aufenthaltsgenehmigungen erteilt. Ihre Väter und Mütter, ihre Brüder und Schwestern, ihre Cousins und Cousinen und die schwangeren Schwägerinnen (die inzwischen entbunden haben) sind jetzt da, wo sie hinwollten, nämlich in Florenz und in anderen Städten Europas. Und letztlich beeinflusste die Tatsache, dass das Zelt abgebrochen wurde, in keiner Weise die anderen Verunstaltungen, die die frühere Hauptstadt der Kunst, der Kultur und der Schönheit seit Jahren verheeren und beleidigen. Sie entmutigte die anderen Eindringlinge kein bisschen. Die Albaner, die Sudanesen, die Bengalen, die Tunesier, die Algerier, die Pakistani, die Nigerianer. Kurz die Drogenhändler (ein Verbrechen, das der Koran offenbar nicht ahndet), die uns unter den Augen einer machtlosen Polizei verfolgen. Die Diebe (gewöhnlich Albaner), die dich im Schlaf zu Hause im Bett überfallen. (Und wehe, wenn du auf ihre Revolverschüsse deinerseits mit dem Revolver antwortest: Rassistin! Rassistin!) Die an Syphilis oder Aids erkrankten Prostituierten, die alte Nonnen schlagen oder töten, die sie aus ihrer Knechtschaft befreien wollen. Die fliegenden Händler und die mit den festen Standorten, die die Straßen, Plätze und Denkmäler verunstalten und beschmutzen …

Ich sage das, weil die Händler die gesamte Altstadt in Beschlag nehmen, das heißt die schönsten und berühmtesten Orte. Die Arkaden der Uffizien, zum Beispiel. Die Gegend um die Kathedrale und den Campanile von Giotto, wo sie immer noch urinieren. Den Ponte Vecchio, wo sie den Eingang zu den Geschäften versperren und ab und zu mit dem Messer aufeinander losgehen. Die wunderschöne Piazza Michelangelo und die Lungarni, wo sie verlangt und erreicht haben, dass die Kommune sie finanziert. (Aufgrund welchen Anspruchs weiß man nicht, da sie keine Steuern zahlen.) Sie lagern auch auf den Bürgersteigen vor den Museen und der Bibliotheken, den Stufen der alten Paläste und auf den Vorplätzen der hundertjährigen Kirchen. Zum Beispiel vor der Kirche San Lorenzo, wo sie sich Allah zum Trotz betrinken und den Frauen Obszönitäten nachrufen. (Letzten Sommer sogar mir, einer ehrwürdigen Dame. Selbstverständlich bekam ihnen das schlecht! Sehr schlecht! Einer sitzt immer noch dort und hält sich jammernd die Genitalien.) Ja, unter dem Vorwand, ihre verdammten Waren zu verkaufen, sind sie ständig da. Und mit »Waren« sind illegale Imitationen patentgeschützter Modelle von Taschen und Koffern gemeint, Plakate, Postkarten, afrikanische Statuetten, die von den ungebildeten Touristen für Skulpturen von Bernini gehalten werden. Welche Frechheit! Welche Arroganz! »Je connais mes droits, ich kenne meine Rechte«, zischte mir auf dem Ponte Vecchio ein Nigerianer zu, den ich schief angeschaut hatte, weil er Drogen verkaufte. Meinerseits schrie ich zurück ich-lass-dich-verhaften-und-ausweisen-verdammter-Hurensohn, brutto-figlio-di-puttana. Das gleiche »ich kenne meine Rechte« hatte zwei Jahre zuvor auf dem Platz an der Porta Romana ein sehr junger Sohn Allahs in perfektem Italienisch zu mir gesagt, der mir an den Busen gegrapscht und den ich mit dem gewohnten Tritt in die Eier zurechtgewiesen hatte. (Nunmehr die einzige Waffe, derer sich eine Frau bedienen kann, um ihre Bürgerrechte durchzusetzen.) Nicht zufrieden mit all dem, fordern sie immer mehr Moscheen, obwohl sie in ihrem eigenen Land nicht den Bau der kleinsten Kirche gestatten und Nonnen vergewaltigen und Missionare ermorden, sobald sie können. Und wehe, wenn ein Bürger protestiert. Wehe, wenn er einem von ihnen antwortet: übe-diese-Rechte-bei-dir-zu-Hause-aus. »Rassist! Rassist!« Wehe, wenn ein vorbeikommender Passant dort, wo die Waren den Durchgang versperren, eine der angeblichen Bernini-Skulpturen streift. »Rassist! Rassist!« Wehe, wenn sich ein Verkehrspolizist nähert und zu sagen wagt: »Verehrter Sohn Allahs, würde es Ihnen etwas ausmachen, ein klein wenig beiseite zu rücken, damit die Leute durchkönnen?« Sie zerreißen ihn in der Luft. Schlimmer als bissige Hunde fallen sie über ihn her.

Mindestens beschimpfen sie seine Mutter und seine Kinder. Und die Leute schweigen resigniert, eingeschüchtert, in Schach gehalten von dem Wort »Rassist«. Sie machen nicht einmal dann den Mund auf, wenn man sie anschreit, wie mein Vater sie unter dem Faschismus anbrüllte: »Habt ihr denn keinen Funken Würde im Leib, ihr Schafsköpfe? Habt ihr kein bisschen Selbstachtung, ihr Hasenfüße, ihr Feiglinge?«

In anderen Städten ist es genauso, du weißt es. So ist es in Turin, zum Beispiel. In Turin, das Italien schuf und heute gar keine italienische Stadt mehr zu sein scheint. Man kommt sich eher vor wie in Dhaka, Nairobi, Damaskus oder Beirut. So ist es in Venedig. In Venedig, wo die Tauben auf dem Markusplatz den Typen gewichen sind, die sogar Othello (doch Othello war ein großer Herr) ins Meer werfen würde. So ist es in Genua. In Genua, wo die wundervollen Palazzi, die Rubens so sehr bewunderte, von ihnen besetzt wurden und jetzt verfallen wie vergewaltigte schöne Frauen. So ist es in Rom. In Rom, wo die Politik jeglicher Couleur sie verlogen und voller Zynismus umwirbt in der Hoffnung auf ihre zukünftige Stimme. Und wo selbst der Papst sie beschützt, der davon träumt, wie ich vermute, nach Kabul und Islamabad zu reisen. (Heiligkeit, warum im Namen des Einen Gottes nehmen Sie die Leute nicht bei sich im Vatikan auf? Alle. Die Banditen, die Verkäufer, die Prostituierten, die Drogenhändler, die Terroristen. Unter der Bedingung natürlich, dass sie nicht auch die Sixtinische Kapelle und die Statuen von Michelangelo und die Gemälde von Raffael voll scheißen.) Nun gut. Jetzt bin ich es, die nicht versteht. Diese Leute werden in Italien »ausländische Arbeitnehmer« genannt. Oder Arbeitskraft-die-gebraucht-wird. Und daran, dass einige Söhne Allahs arbeiten, besteht gar kein Zweifel. Die Italiener sind so vornehm geworden. Wie die übrigen Europäer. Sie fahren im Urlaub auf die Seychellen, verbringen Weihnachten in Paris. Sie haben ein englisches Kindermädchen und farbige Hausangestellte, schämen sich, Arbeiter und Bauern zu sein. Sie wollen alle der reichen Bourgeoisie angehören, Unternehmer und Professor sein. Man kann sie nicht mehr mit dem Proletariat in Verbindung bringen, und jemanden, der für sie arbeitet, muss es ja geben. Doch die, von denen ich spreche, was für Arbeiter sind das? Welche Arbeit tun sie? Auf welche Weise decken sie den Bedarf an Arbeitskraft, die das ehemalige italienische Proletariat nicht mehr bereithält? Indem sie in der Stadt biwakieren unter dem Vorwand, »Waren« zu verkaufen, Drogen und Prostituierte eingeschlossen? Indem sie herumlungern und unsere Denkmäler verschandeln? Indem sie sich auf Kirchenvorplätzen betrinken und ehrwürdigen Damen, die auf der Straße vorbeigehen, Obszönitäten nachrufen, ihnen an den Busen grapschen nach dem Motto ich-kenne-meine-Rechte? Und dann gibt es noch etwas, das ich nicht verstehe. Wenn sie so arm sind, so Not leidend, wer gibt ihnen dann das Geld für die Reise nach Italien per Schiff oder Schlauchboot? Wer gibt ihnen die zehn Millionen Lire pro Kopf (mindestens zehn Millionen), die sie brauchen, um die Reise zu bezahlen? Also fünfzig Millionen für eine fünfköpfige Familie, eine Summe, die gerade für eine Reise aus dem sehr nahen Albanien genügt. Doch nicht etwa die Usama Bin Ladens, mit dem Ziel, Terroristen der Al Qaida zu exportieren? Doch nicht etwa die Prinzen des saudi-arabischen Königshauses, die ihr Territorium erweitern wollen, wie es ihre Vorfahren in Spanien und Portugal gemacht haben? Ich glaube nicht an ein unschuldiges und spontanes Naturphänomen. Sie sind viel zu heimtückisch, zu gut organisiert, diese ausländischen Arbeiter. Darüber hinaus pflanzen sie sich unaufhörlich fort. Die Italiener bekommen keine Kinder mehr, diese Dummköpfe. Die übrigen Europäer auch nicht. Unsere »ausländischen Arbeiter« dagegen vermehren sich wie die Ratten. Mindestens die Hälfte aller moslemischen Frauen, die man auf der Straße sieht, sind von Kinderhorden umgeben und schwanger. In Rom haben gestern drei Frauen in der Öffentlichkeit ein Kind geboren. Eine im Bus, eine im Taxi und eine auf der Straße ... Nein, das alles überzeugt mich nicht. Und wer das Thema nicht ernst nimmt, irrt sich gewaltig. Wie sich auch die Heuchler irren, die die Einwanderungswelle, die Italien und ganz Europa überrollt, mit derjenigen vergleicht, die in der zweiten Hälfte des 19. Jahrhunderts und im ersten Viertel des 20. Jahrhunderts stattfand. Amerika erreichte. Jetzt bringe ich dir in Erinnerung, warum.

* * *

Eines Abends hörte ich zufällig einen der zehntausend Exministerpräsidenten, die Italien in den letzten vierzig Jahren gequält haben, im Fernsehen sagen: »Mein Onkel war auch Emigrant. Ich weiß noch, wie mein Onkel mit einem Vulkanfiberkoffer nach Amerika aufbrach!« O nein, mein schlecht informierter Herr Exministerpräsident: nein. Abgesehen einmal davon, dass Sie gar nicht gesehen haben können, wie Ihr Onkel mit seinem Vulkanfiberkoffer nach Amerika aufbrach, weil Onkel mit Vulkanfiberkoffern im ersten Viertel des 20. Jahrhunderts nach Amerika gereist sind, also als Sie noch nicht geboren waren, es ist nicht dasselbe. Und zwar aus recht einfachen Gründen, die Ihnen nicht bekannt sind oder die Sie vorgeben nicht zu kennen. Hier sind sie:

Der erste: Die Fläche Nordamerikas beträgt 3717812 Quadratkilometer. Bis heute gibt es ausgedehnte Gebiete, die unbewohnt oder fast unbewohnt sind, sodass man sich in manchen Ge-

genden Monate aufhalten kann, ohne einer Menschenseele zu begegnen. Und in der zweiten Hälfte des 19. Jahrhunderts waren sie erst recht leer oder fast leer. Keine Straßen, keine Dörfer, keine Städte. Höchstens ein Handelsposten, eine Koppel, wo man die Pferde wechseln konnte. Die Mehrheit der Bevölkerung konzentrierte sich faktisch in den östlichen Staaten. Im Mid West, das heißt im Inneren des Landes, lebten nur einige Pioniere oder Jäger, einige wenige Indianerstämme (die so genannten Rothäute) oder vertriebene Rothäute unter schrecklichen Bedingungen in Reservaten. An der Westküste, noch weniger Menschen: Der Goldrausch hatte gerade erst begonnen. Also, Italien ist kein Kontinent. Es ist ein eher kleines Land. Zweiunddreißig Mal kleiner als der amerikanische Kontinent. Außerdem ist es überbevölkert: ungefähr achtundfünfzig Millionen Italiener stehen zweihundertzweiundachtzig Millionen Amerikaner gegenüber. Das heißt, wenn sich jährlich dreihunderttausend Söhne Allahs in Italien niederlassen, entspräche das in Amerika zwei oder vielleicht sogar vier Millionen … Der zweite: Ein Jahrhundert lang, also vom Unabhängigkeitskrieg bis 1875, war Amerika frei zugänglich. Die Grenzen und Küsten waren unbewacht, jeder, der wollte, konnte einreisen, und Immigranten waren mehr als willkommen. Um zu blühen und zu gedeihen, brauchte die junge Nation viele Menschen. Denk nur an den Homestead Act, das Gesetz, das Abraham Lincoln am 20. Mai 1862 unterschrieb. Ein Gesetz, das die Verteilung von 270 Millionen Acres staatlichen Landes vorsah, das sind zehn Prozent. In Oklahoma, in Montana, in Nebraska, in Colorado, in Kansas, in Dakota und so weiter. Ein Gesetz, von dem noch dazu nicht nur die Amerikaner profitierten: Abgesehen einmal von den wenig angesehenen Chinesen und den enteigneten indianischen Ureinwohnern hatte jeder (Mann oder Frau) das Recht auf 160 Acres, die er geschenkt bekam. Die einzigen Bedingungen waren, dass man nicht jünger als einundzwanzig Jahre sein durfte, dass man mindestens fünf Jahre bleiben musste, dass man auf dem wilden Land eine Farm errichten musste, eine Familie gründen und, wenn der Anwärter kein Amerikaner war, die amerikanische Staatsangehörigkeit beantragen musste. Tatsächlich, und das ist der Punkt, kamen viele aus Europa. Genauer gesagt aus Nordeuropa. Sie folgten den Slogans »Amerikanischer-Traum«, »Amerika-Land-der-unbegrenzten-Möglichkeiten«, sie kamen in so großer Zahl, dass in Oklahoma weitere Indianerstämme (Cherokee, Creek, Seminole, Chickasaw) schändlicherweise verjagt und in Reservate gesperrt wurden. Also ... In Italien hat es nie ein Gesetz gegeben, das die Söhne Allahs dazu aufgefordert hätte, sich in unserem Land niederzulassen. »Komm, komm, mein lieber Sohn Allahs! Bei deiner Ankunft schenken wir dir einen netten Bauernhof in der Toskana oder in der Poebene und wegen dir werfen wir die Einheimischen raus, wir stecken sie in Reservate!« Oder so ähnlich. Wie im übrigen Europa kamen und kommen sie aus eigener Initiative: mit den verfluchten Booten, den verfluchten Schlauchbooten der albanischen Mafia. Und zwar trotz unserer Grenzpolizei, die sie abzuweisen versucht, weil wir kein Einwanderungsland sind, mein lieber Herr Exministerpräsident und vorgeblicher Neffe eines Onkels mit einem Vulkanfiberkoffer. Jetzt nicht mehr. Die Grenzpolizei schützt die Küsten nicht mehr. Den Vorschriften unserer schlaffen Regierung gemäß lassen sie sich widerlich resigniert von den Horden überrollen. Sie helfen ihnen bei der Landung, begleiten sie zum Flüchtlingslager, ertragen ihre Gewalttätigkeiten.

Der dritte: Nicht einmal das Land-der-unbegrenzten-Möglichkeiten handelte so nachsichtig wie wir. 1875 begriff die amerikanische Regierung, dass man die Zuwanderung begrenzen musste, und der Kongress erließ ein Gesetz, das ehemaligen Sträflingen und Prostituierten den Zutritt verwehrte. 1882 wurde ein zweites Gesetz erlassen, das die Geisteskranken und diejenigen ausschloss, die wahrscheinlich dem Staat auf der Tasche liegen würden. 1903 ein drittes, das Epileptiker, Verrückte, Menschen mit übertragbaren Krankheiten, professionelle Bettler und Anarchisten ausschloss. (Das war damals die ungenaue Bezeichnung für diejenigen, die Präsidenten ermordet oder Streiks angezettelt hatten.) Von diesem Augenblick an wurde die Einwanderungspolitik immer restriktiver, und die Illegalen gerieten in ernste Schwierigkeiten. In Italien jedoch, in Europa, können sie kommen und gehen, wie sie wollen. Terroristen, Diebe, Vergewaltiger, ehemalige Sträflinge. Prostituierte, Bettler, Drogenhändler, Menschen mit übertragbaren Krankheiten. Nicht einmal die, die eine Arbeitserlaubnis erhalten, werden auf ihre Vergangenheit hin überprüft. Einmal angekommen, werden sie auf Kosten der Einheimischen untergebracht, gewaschen, ernährt, behandelt. Will heißen auf Kosten der Steuerzahler. Sie bekommen sogar ein Taschengeld, einen Geldbetrag für die kleinen Ausgaben. Und was die illegalen Einwanderer angeht ... Wenn sie zufällig ausgewiesen worden sein sollten: Sie kommen zurück. Wenn sie noch einmal ausgewiesen werden, kommen sie im stillen Einverständnis mit den Politikern, die auf ihre zukünftige Stimme zählen, und mit Gott wieder! Ich werde niemals die Demonstrationen vergessen, mit denen die illegalen Einwanderer im letzten Jahr die Plätze Italiens füllten, um Aufenthaltsgenehmigungen zu bekommen. Die bösen, verzerrten, feindseligen Gesichter. Die Fahnen ihrer Länder, ihre drohend erhobenen Fäuste, bereit, auf uns Einheimische einzuschlagen und uns in Reservate zu werfen. Die Drohungen der zornigen, rauen Stimmen, die mich an Khomeinis Teheran erinnerten, Bin Ladens Indonesien, Malaysia, Pakistan, Irak, Senegal, Somalia, Kenia, Nigeria, Libyen, Algerien, Marokko, Syrien, Libanon, Palästina und so weiter. Nie werde ich das vergessen, denn abgesehen einmal davon, dass sie mich beleidigten, indem sie sich in meinem Land wie Herren aufführten, fühlte ich mich von unseren Politikern verhöhnt, die sagten: »Wir würden sie ja gerne abschieben, aber wir wissen nicht, wo sie sich verstecken.« Verstecken? Heuchler! Lügner! Gauner! Tausende und Abertausende standen auf diesen Plätzen und versteckten sich keineswegs. Um sie auszuweisen, sie in ihr Land zurückzubringen, hätte es genügt, sie von bewaffneten Polizisten oder Soldaten umzingeln zu lassen. Sie auf Lastwagen zu laden und zu einem Flughafen oder Hafen zu bringen und in ihr Land zurückzuschicken.

Der letzte Grund ist so einfach, mein lieber Exministerpräsident and Company, dass sogar ein dummes Kind ihn begreifen würde: Amerika ist ein sehr junges Land. Wenn Sie bedenken, dass die Geburt dieser Nation Ende des 18. Jahrhunderts stattgefunden hat, wird Ihnen klar, dass sie kaum zweihundert Jahre alt ist. Außerdem handelt es sich um ein Einwanderungsland. Seit der Zeit der Mayfair und der Kolonien ist jeder Amerikaner ein Einwanderer. Und sein Kind, sein Enkel der Nachfahre eines Einwanderers. Dieses Einwanderungsland ist der unglaublichste Schmelztiegel für Rassen, Religionen, Sprachen, den man je auf diesem Planeten gesehen hat. Ein sehr junges Land, das mit der kürzesten Geschichte. Kein Wunder, dass seine kulturelle Identität noch nicht gefestigt ist. Italien dagegen ist ein sehr altes Land. Das älteste im Westen, würde ich sagen. Seine Geschichte währt im Grunde seit dreitausend Jahren, also seit Rom gegründet wurde, die Etrusker waren bereits kultivierte Menschen. In diesen dreitausend Jahren und trotz der Universalität des Römischen Reiches und trotz der Eroberer, die letztlich den Zusammenbruch des Römischen Reiches besiegelten, war es nie ein Einwanderungsland. (Es absorbierte sie alle: Skandinavier, Deutsche, Spanier, Franzosen, Österreicher ... Denken Sie an Habsburg-Lothringen, die Großfürsten der Toskana, die sich niemals wie Österreicher fühlten. Sie fühlten sich immer als Toskaner, Florentiner, und sprachen und schrieben immer auf Italienisch). Unsere kulturelle Identität ist deswegen genau umrissen. Sehr präzise. Und auf keinen Fall bezieht sie die moslemische Welt mit ein, auf keinen Fall lässt sie einen Einfluss zu, und seit zweitausend Jahren beruht sie auf einer Religion, die christliche Religion heißt. Einer Kirche, die katholische Kirche heißt. Eine Kirche, die uns mehr geformt hat, als uns lieb ist. Nehmen Sie mich zum Beispiel. »Ich bin Atheistin, ich bin antiklerikal, ich bin ein Freigeist, ich habe nichts mit der katholischen Kirche zu tun«, sage ich gewöhnlich. Und es ist wahr. Aber nur die halbe Wahrheit. Denn, ob es mir gefällt oder nicht, ich habe damit zu tun. Verdammt, und wie! Und wie könnte es anders sein? Ich bin in einer Landschaft voller Kirchen, Klöster, Christusfiguren, Madonnen, Heiliger und Kreuze geboren. Die erste Musik, die ich gehört habe, als ich auf die Welt kam, war Glockenläuten. Das Glockenläuten von Santa Maria del Fiore, das, als-das-Zelt-dort-stand, vom Geschrei des Muezzins übertönt wurde. Mit dieser Musik, in dieser Landschaft, mit dieser Sprache, der Kultur dieser Kirche, vor der sich sogar große Geister wie Dante Alighieri und Leonardo da Vinci und Michelangelo und Galileo Galilei verneigt haben, bin ich aufgewachsen. Durch sie habe ich gelernt, was Bildhauerei ist, Architektur, Malerei, Poesie, Literatur, was Schönheit und was Wissen sind. Dank ihr habe ich begonnen über Moral nachzudenken. Über Gut und Böse und darüber, ob Gott gut oder böse sein kann, ob er existiert, ob die Seele auf einer chemischen Formel basiert oder mehr ist, und Herrgott ...

Siehst du? Noch einmal habe ich »Herrgott« geschrieben. Trotz all meines Laizismus, meines Atheismus, bin ich so von der katholischen Kultur durchdrungen, dass sie sogar meine Ausdruckswseise beeinflusst. »O Gott, mein Gott, Gott sei Dank, Herrgott, Herrje, heilige Muttergottes, um Gottes willen, Jesus, Maria und Josef.« Diese Wörter kommen mir so spontan über die Lippen, dass ich gar nicht merke, wenn ich sie ausspreche oder schreibe. Und wollen wir ganz aufrichtig sein? Obwohl ich dem Katholizismus die Gemeinheiten, die er mir jahrhundertelang angetan hat, nie verziehen habe, angefangen bei der Inquisition, die im 16. Jahrhundert auch eine meiner Ahninnen verbrannte, arme Großmutter, obwohl ich mit den Pfarrern nicht einverstanden bin und mit ihren Gebeten nichts anfangen kann, gefällt mir der Klang der Glocken doch über alles. Sie liebkosen mein Herz. Auch die schönen Christusdarstellungen, die schönen Madonnen- und Heiligenbilder gefallen mir. Nicht zufällig sammle ich Ikonen, und meine Wohnung ist übervoll mit Ikonen. Auch Klöster gefallen mir. Sie vermitteln mir ein Gefühl von tiefem Frieden, und häufig beneide ich die, die darin wohnen. Und geben wir es doch zu: unsere Kathedralen sind schön, meiner Meinung nach schöner als die Moscheen und die Synagogen. Auch die kleinen Kirchen auf dem Land sind schön. Sie sind sogar schöner als die protestantischen Kirchen. Der Friedhof meiner Familie ist ein protestantischer Friedhof. Er nimmt Tote aller Religionen auf, aber es ist ein protestantischer Friedhof. Und eine Urgroßmutter von mir war Waldenserin, eine Großtante war evangelisch. Die waldensische Urgroßmutter habe ich leider nicht gekannt. Sie ist ziemlich jung gestorben. Die evangelische Großtante schon. Als ich noch klein war, nahm sie mich oft zum Gottesdienst ihrer Kirche in der Via de' Benci in Florenz mit und ... Herrgott, wie ich mich langweilte! Ich fühlte mich so allein unter diesen Gläubigen, die nur Kirchenlieder sangen und sonst nichts, bei diesem Pfarrer, der kein Pfarrer war und nur aus der Bibel vorlas und sonst nichts. Mir war so traurig zumute in dieser Kirche, die gar keine Kirche zu sein schien und in der es außer einer kleinen Kanzel nur ein großes Kreuz gab und sonst nichts. Keine Christusfiguren, keine Madonnen, keine Heiligen, keine Engel, keine Kerzen, keinen Weihrauch ... Sogar der Weihrauchgestank fehlte mir, und ich wäre lieber in der nahen Basilika Santa Croce gewesen, wo es diese Dinge im Überfluss gibt. Das Blendwerk, an das ich gewohnt bin. Und noch etwas: Im Garten meines Landhauses in der Toskana steht eine winzig kleine Kapelle. Sie ist immer verschlossen. Seit Mama tot ist, benutzt sie niemand mehr. Doch manchmal gehe ich hinein, um abzustauben, um sicherzugehen, dass die Ratten kein Nest gebaut haben, und trotz meiner laizistischen Erziehung fühle ich mich darin wohl. Trotz meiner Pfaffenfresserei bewege ich mich ganz unbefangen darin. Und ich glaube, dass die allergrößte Mehrheit der Italiener das Gleiche von sich sagen könnte. (Mir jedenfalls vertraute einer der Vorsitzenden der KPI, Enrico Berlinguer, eine ganz ähnliche Empfindung an.) Heiliger Himmel! (Da sind wir wieder.) Ich meine, wir Italiener und Europäer sind nicht in der gleichen Lage wie die Amerikaner: ein jüngst zusammengesetztes Mosaik aus ethnischen und religiösen Gruppen, ein unbefangenes Gewirr aus tausend Sprachen und tausend Religionen, gleichzeitig offen für jede Invasion und fähig, sie zurückzudrängen. Ich meine, dass unsere kulturelle Identität, eben weil sie seit vielen Jahrhunderten sehr genau definiert ist, keine Immigrationswelle verkraften kann, mit der Menschen hereinströmen, die auf die eine oder andere Weise unsere Lebenswelt verändern wollen. Unsere Prinzipien, unsere Werte. Ich meine, dass bei uns kein Platz ist für Muezzins, Minarette, falsche Abstinenzler, den verfluchten Tschador und die noch verfluchtere Burkah. Und auch wenn welcher da wäre, würde ich ihn diesen Menschen nicht geben. Denn das würde bedeuten, Dante Alighieri, Leonardo da Vinci, Michelangelo, Raffael, die Renaissance, die Aufklärung, das Risorgimento, die Freiheit, die wir recht oder schlecht errungen haben, die Demokratie, die wir recht oder schlecht aufgebaut haben, den Wohlstand, den wir zweifellos erreicht haben, wegzuwerfen. Es würde bedeuten, ihnen unser Vaterland zu schenken. In meinem Fall Italien. Und ich schenke ihnen Italien nicht.

Damit sind wir an einem Punkt angelangt, den ich unbedingt klarstellen möchte. Hört also gut zu!

* * *

Ich bin Italienerin. Die Leute, die glauben, ich sei längst Amerikanerin, sind auf dem Holzweg. Ich habe nie die amerikanische Staatsbürgerschaft beantragt. Als der amerikanische Botschafter Maxwell Rabb, ein guter Freund, sie mir mit dem Celebrity Status anbot, habe ich ihm in etwa so geantwortet (ich sehe immer noch seine stechenden Augen, wie sie mich genau beobachten, während ich rede, seine in Falten gelegte Stirn, das Lächeln auf seinen Lippen, mal traurig, mal amüsiert): »Herr Botschafter, Sir, ich fühle mich Amerika sehr verbunden. Ich bin ihm verbunden, auch wenn ich mich oft mit ihm streite, ich tadle es oft, und ich verfluche seine Schwächen, seine Fehler, seine Schuld. Die zu häufige Vernachlässigung der edlen Grundsätze, in denen seine Geburt begründet war, allen voran die Grundsätze der Gründerväter ... Die kindliche Verherrlichung des Wohlstands, die Verschwendungssucht, die Bigotterien, die aggressive Arroganz im wirtschaftlichen und militärischen Bereich, jene Arroganz, die übrigens immer mit der Entwicklung eines Landes zu einer überlegenen Supermacht einhergeht ... Und auch die alptraumartige Erinnerung an eine Plage, die ich für überwunden halte, mit der man jedoch viel zu lange gelebt hat: die Plage der Sklaverei ... Ebenso die herrschende Unwissenheit. Ich meine die Wissenslücken, denn zugegeben: Auf wissenschaftlichem und technologischem Gebiet sind sie erstklassig, doch die humanistische Bildung ist unzureichend ... Nicht zuletzt die beständige Glorifizierung von Sex und Gewalt, die unaufhörliche Zurschaustellung von Vulgärem und Brutalem, mit der Amerika den ganzen Westen verseucht hat, mittels Filmen und der Flegeleien eines zwar befreiten, aber ungebildeten Volkes. All die Schwächen und die Fehler und die Schuld, die, wissen Sie noch, zum Niedergang des Römischen Reiches geführt haben und auch zum Niedergang dieses Reiches führen werden ... Trotzdem, ich wiederhole es, fühle ich mich diesem Land verbunden. Sehr verbunden. Amerika ist für mich wie ein Liebhaber oder vielmehr ein Ehemann voller Fehler, dem ich immer treu bleiben werde. (Vorausgesetzt natürlich, dass er mich nicht betrügt.) Ich mag diesen Liebhaber, diesen Ehemann: ja. Ich finde seine Unbescheidenheit, seinen Mut, seinen Optimismus sympathisch. Ich bete seine Genialität, seine Erfindungsgabe, sein Vertrauen in sich selbst und in die Zukunft an. Ich bewundere seine Hochachtung vor den gewöhnlichen Leuten, die unendliche Geduld, mit der er Kränkungen und Verleumdungen erträgt. Und natürlich bewundere ich die großartige Würde angesichts seines unvergleichlichen Erfolgs. Ich meine, er hat nur zwei Jahrhunderte gebraucht, um als Sieger dazustehen. Als das Land, das uns alle inspiriert, an das wir uns alle vertrauensvoll wenden, das wir um Hilfe bitten. Ich respektiere ihn und werde niemals vergessen, dass ich heute Deutsch sprechen würde, hätte dieser Ehemann nicht den Krieg gegen Hitler und Mussolini gewonnen. Hätte er nicht der Sowjetunion die Stirn geboten, würde ich heute Russisch sprechen. Darüber hinaus gefällt mir seine unbestrittene und unbestreitbare Großherzigkeit. Die sich zum Beispiel darin zeigt, dass der Zollbeamte, wenn ich in New York ankomme und ihm meinen Pass einschließlich der Wohnsitzbescheinigung hinhalte, mit breitem Lächeln zu mir sagt: »Welcome home. Willkommen daheim.« Das ist für mich eine galante, großzügige Geste. Ein Akt der Selbstlosigkeit, ein Geschenk. Es erinnert mich daran, dass Amerika stets das Refugium Peccatorum, das Waisenhaus für Menschen ohne ein Zuhause gewesen ist. Menschen ohne Vaterland, ohne eine Heimat. Doch ich habe ein Vaterland, Botschafter Rabb. Ich habe ein Vaterland, eine Heimat. Mein Vaterland ist Italien, und Italien ist meine Mutter. Und es käme mir vor, als verleugnete ich meine eigene Mutter, wenn ich die amerikanische Staatsbürgerschaft annähme.« Ich antwortete ihm auch, dass meine

Sprache Italienisch sei und dass ich mich auf Englisch nur selbst übersetze. Mit demselben Gefühl, mit dem ich mich ins Französische übersetze, das heißt, indem ich es als Fremdsprache empfinde. Vertraut ja, aber doch fremd. Und dann antwortete ich ihm noch, dass ich jedes Mal gerührt bin, wenn ich die italienische Nationalhymne höre, die Mameli-Hymne. Wenn ich dieses Fratelli-d'Italia-s'è-desta, taratà-taratà-taratà höre, habe ich einen Kloß (Fratelli) im Hals. Ich merke nicht einmal, dass sie als Hymne eher hässlich ist und fast immer schlecht gespielt wird. Ich denke nur: Das ist die Hymne meines Vaterlands.

Einen Kloß im Hals habe ich auch, wenn ich die weiß-rot-grüne Fahne betrachte. Die italienische Fahne. (Nicht, wenn sie von Rowdys im Stadion geschwenkt wird, natürlich.) Du weißt, ich besitze eine weiße und rote und grüne Fahne aus dem 19. Jahrhundert. Voller Flecken, Blutflecken, glaube ich, und ganz von Motten zerfressen. Und obwohl in der Mitte das Wappen der Savoyer prangt (doch ohne Viktor Emanuel II., ohne Cavour, der unter diesem Wappen wirkte und starb, und ohne Garibaldi, der sich vor diesem Wappen verneigte, hätten wir die Einheit Italiens gar nicht zustande gebracht), hüte ich sie wie ein Juwel. Wir sind für diese Trikolore, voller Flecken und von den Motten zerfressen, gestorben, Herrgott! Erhängt, erschossen, enthauptet worden. Getötet von den

Österreichern, vom Papst, vom Herzog von Modena, von den Bourbonen, von den Franzosen unter Napoleon. Mit dieser Trikolore haben wir uns im Risorgimento erhoben. Die Unabhängigkeitskriege haben wir damit geführt. Haben die Einheit Italiens damit erkämpft. Herrje! Erinnert sich denn niemand daran, was das Risorgimento für uns bedeutet hat?!? Das Wiedererwachen unserer Würde, die wir in Jahrhunderten von Invasionen und Demütigungen verloren hatten. Die Wiedergeburt unseres Gewissens, unserer Selbstachtung, unseres durch Fremdherrschaft, Franzosen, Österreicher, Spanier, Päpste, unbedeutende Fürsten von hier und da gebeugten Stolzes. Erinnert sich niemand daran, was unsere Unabhängigkeitskriege bedeutet haben?!? Sie haben viel mehr bedeutet, als den Amerikanern der ihre je bedeuten kann! Denn sie mussten nur gegen einen einzigen Feind, einen einzigen Herrn kämpfen: gegen England. Wir dagegen mussten gegen alle kämpfen, die der Wiener Kongress freudig in unserem Land wieder eingesetzt hatte, nachdem er uns aufs Neue zerlegt hatte wie ein Brathähnchen! Erinnert sich niemand mehr daran, was die Einheit Italiens bedeutet hat, an die Ströme von Blut, die sie gekostet hat?!? Wenn die Amerikaner ihren Sieg über England feiern und ihre Fahne erheben und »God bless America« singen, legen sie sich ihre Rechte Herz, Herrgott! Aufs Herz! Und wir feiern überhaupt nichts, wir legen die Rechte nirgendwohin, oder vielmehr, manche würden sie gern ich sag dir nicht wohin legen!

Auch im Ersten Weltkrieg und in der Resistenza haben wir unter dieser Fahne gekämpft. Und an dieser Stelle sei mir ein wenig Stolz erlaubt. Für diese Fahne kämpfte schon mein Ururgroßvater mütterlicherseits, Giobatta, 1849 in Curtatone und Montanara. Er wurde von einer österreichischen Rakete schrecklich verunstaltet, und zehn Jahre später wurde er von den Österreichern in Livorno eingesperrt, ihre kroatischen Schergen folterten ihn und schlugen ihn zum Krüppel. Für diese Fahne ertrugen meine Onkel väterlicherseits von 1915 bis 1917 jede Qual in den Schützengräben auf dem Karst: Gas, Kälte, Hunger, Verluste, Bajonettangriffe ... Für diese Fahne wurde mein Vater 1944 von den Nazi-Faschisten verhaftet und in der Villa Triste noch mehr als Giobatta gefoltert. Für diese Fahne nahm meine ganze Familie an der *Resistenza* teil, bewies, dass keiner von ihnen ein Feigling war. Genau wie ich. In den Reihen von Giustizia e Libertà, im Freiwilligenkorps für die Freiheit, unter dem Decknamen Emilia. Ich war vierzehn Jahre alt, und als das Freiwilligenkorps nach Kriegsende der italienischen Armee angegliedert wurde und diese mich mit dem Rang eines einfachen Soldaten entließ, war ich so stolz! Herrgott! Ich hatte für mein Land gekämpft, für die Freiheit meines Landes, als italienischer Soldat! Ich war so stolz, dass ich lange zögerte, bis ich die fünfzehntausendsechshundertsiebzig Lire annahm, die das Ministerium an die einfachen Soldaten auszahlte. Es schien mir nicht korrekt, dafür bezahlt zu werden, dass ich meine Vaterlandspflicht erfüllt hatte. Dann nahm ich doch an. Wir besaßen zu Hause alle praktisch keine Schuhe. Und mit fünfzehntausendsechshundertsiebzig Lire kaufte ich Schuhe für mich und meine kleinen Schwestern. (Für meinen Vater und meine Mutter nicht. Sie wollten keine.)

* * *

Natürlich ist mein Vaterland, mein Italien, nicht das Italien von heute. Das vergnügungssüchtige, schlaue, also vulgäre Italien der Italiener, die (wie die anderen Europäer, wohlverstanden) nur daran denken, möglichst mit fünfzig in Rente zu gehen, und die sich nur für Urlaub im Ausland oder Fußball begeistern. Das beschränkte, dumme, also feige Italien der kleinen Hyänen, die ihre Töchter an ein Bordell in Beirut verkaufen würden, wenn sie dafür einem Hollywoodstar die Hand drücken dürften, die aber nach der Apokalypse von New York höhnisch grinsen das-geschieht-ihnen-recht, den-Amerikanern, das-geschieht-ihnen-ganz-recht. (Auch hier benehmen sie sich wohlverstanden genau wie alle anderen Hyänen Europas. Aber auf Europa kommen wir später zu sprechen.) Das opportunistische, doppelzüngige, verweichlichte Italien der arroganten und unfähigen politischen Parteien, die weder gewinnen noch verlieren können, sondern sich nur darauf verstehen, die dicken Hintern ihrer Vertreter auf Abgeordneten-, Bürgermeister- oder Ministersessel zu kleben. Das noch von Mussolini geprägte Italien der schwarzen und roten Faschisten, die einen zwingen, immer wieder an den schrecklichen Ausspruch von Ennio Flaiano zu denken: »Italienische Faschisten lassen sich in zwei Kategorien einteilen: Faschisten und Antifaschisten.« Schließlich noch das Italien der Italiener, die mit der gleichen Begeisterung rufen Es-lebe-der-König und Es-lebe-die-Republik, Es-lebe-Mussolini und Es-lebe-Stalin, Es-lebe-der-Papst und Es-lebe-egal-wer: Frankreich-oder-Spanien-Hauptsache-wir-haben-genug-zu-essen. (Dieses berühmte Sprichwort wurde im 16. Jahrhundert geprägt, als die Spanier die Franzosen aus Rom vertrieben und sich als Herren etablierten.) Jener Italiener, die mit geradezu unverschämter Nonchalance von einer Partei zur anderen wechseln, sich gar von einer Partei aufstellen lassen und, einmal als Onorevoli gewählt, das heißt Ehrenwerte (in Italien werden Abgeordnete so genannt), zur Gegenpartei überlaufen und den Ministersessel bei der Gegenpartei akzeptieren. Kurz, das Italien derer, die ihr Fähnchen nach dem Wind hängen. Gott, wie sehr sie mich anwidern, diese Wetterwendischen! Wie sehr ich sie verachte!

Es stimmt schon: Solche Leute gibt es nicht nur in Italien, es gibt sie überall auf der Welt. Auch in Amerika. Und in Europa halten nicht die Italiener das Patent auf derlei Verhalten, sondern die Franzosen. Selbst der Begriff, er lautet im Französischen *girouette* und meint im direkten Wortsinn übersetzt einen wetterwendischen Menschen, stammt ursprünglich aus Frankreich. Bereits im Mittelalter hatte dieser Begriff eine politische Bedeutung, das heißt: zu Zeiten der Revolution, des Directoire, des Konsulats, des Kaiserreichs und der Restauration erlebte dieses Verhalten eine Hochblüte, wie niemand sonst sie je wieder zustande brachte. (Erinnere dich an das in dieser Hinsicht herausragendste Beispiel der Franzosen, an jenen Mann, den Napoleon meist als »une merde dans un bas de soie« bezeichnete, als ein Stück Scheiße im Seidenstrumpf. Der Mann hieß Talleyrand. Zuerst Bischof von Autun. Dann Mitglied der Generalstände und Verteidiger des Klerus. Später Revolutionär und Feind der Geistlichkeit und deshalb vom Papst exkommuniziert. Danach in Napoleons Diensten und dessen Speichellecker. Gleich darauf Napoleons Feind und Fürsprecher einer Wiederkehr der Königsfamilie, die dem Haus der Bourbonen angehörte. Dann Feind der Bourbonen und Förderer des Hauses Orléans. Gott sei

Dank starb er mit vierundachtzig Jahren in seinem Bett: reicher als je zuvor und erneut dem Papst ergeben. Oder erinnere dich an Napoleon selbst, der als junger Mann die Stiefel von Marat und Robespierre leckte, »Marat und Robespierre sind meine Götter!« Trotz eines solchen Starts avancierte er zum Kaiser, verteilte dann die Thronsessel Europas an seine Brüder, Schwestern und Freunde ... Erinnere dich auch an Barras, Tallien und Fouché ... Die Kommissare des Terrors: die Verantwortlichen für jene Massaker, die die Revolution in Toulon, Bordeaux und Lyon verübte: Die elenden Schurken, die zuerst Robespierre aus dem Weg räumten und es danach mit den Aristokraten hielten, die der Guillotine entronnen waren. Der Erste erfand Napoleon, der Zweite stand ihm in Ägypten treu zur Seite und der Dritte diente ihm bis zu seinem Sturz. Erinnere dich an Jean Baptiste Bernadotte: an dieses Geschöpf Napoleons, das durch dessen Gunst zum König von Schweden wurde, sich mit dem Zaren von Russland gegen Napoleon verbündete und 1813 über den Ausgang der Schlacht von Leipzig bestimmte, indem er Napoleons Kriegstaktik anwandte. Oder erinnere dich an Joaquim Murat, Napoleons Schwager, den dieser zum König von Neapel machte: Murat verriet seinen Wohltäter, indem er 1814 eine Allianz mit den Österreichern einging. Und vergessen wir ja nicht, dass es die Franzosen und nicht die Italiener waren, die 1815 das unglaubliche und köstliche *Dictionnaire des Girouettes* zusammenstellten, das Lexikon der Wetterwendischen also. Dieses Buch erscheint seither in immer wieder aktualisierter Form, denn im Lauf der Jahrhunderte hat sich die Zahl der französischen Wetterwendischen ganz formidable erhöht. (Auch Petain ist darin aufgeführt.) Und verlange ja nicht, dass mir das ein Trost sein sollte. Und auch nicht, dass mir diese Nennung Bestätigung sein sollte, dafür, dass ich Recht habe, wenn ich in unseren Sünden die Sünden der Europäer sehe. Denn darauf kann ich nur antworten: Jedem seine eigenen Tränen! Und außerdem ist es so, dass kein anderes Land die französische Lektion so sehr verinnerlicht hat wie Italien. Denk an die Girouettes, die Wetterwendischen, daran, wie zwischen 1799 und 1814 die toskanischen Bürgermeister vom Großherzog Ferdinand von Habsburg-Lothringen zu Napoleon, von Napoleon zum Großherzog, vom Großherzog wieder zu Napoleon gesprungen sind. Denk an die satirische Dichtung *Il brindisi dei girella* (zu Ehren der Girouettes), mit der Giuseppe Giusti 1848 unseren bescheidenen »Beispielen« eine Ohrfeige versetzt und das italienische Wort »girella« geprägt hat. Sozusagen die toskanische Version der Girouette ... Und doch, und doch, nie hat im damaligen Italien das Wetterwendische jenes Niveau erreicht, auf dem es heute triumphiert. Und weißt du, was das Schrecklichste, das Traurigste ist? Diese Verinnerlichung geht so weit, dass die Italiener heute etwas wie Empörung gar nicht mehr kennen. Sie wundern sich eher, wenn jemand seinen Ideen und Idealen treu bleibt. Vor Jahren erzählte ich einem Prediger der Demokratie, dass ich bei Nachforschungen in den Nationalarchiven über meine Familie etwas Wunderbares herausgefunden hatte: Sowohl auf mütterlicher als auch auf väterlicher Seite war niemand Mitglied der Faschistischen Partei gewesen. Der einzige Faschist in der Familie war der Mann einer Tante gewesen, die deshalb von den Geschwistern praktisch nicht mehr gegrüßt wurde. Arme Tante. »Weg hier, weg hier, du Unverschämte, die du uns Schande gebracht hast, als du dich in ein Schwarzhemd verliebt und ihn geheiratet hast.« Das erzählte ich ihm. Und weißt du, was mir der Prediger der Demokratie darauf antwortete? »Man sieht, dass sie hinter dem Mond lebten!«, antwortete er, worauf ich empört erwiderte: »Nein, mein Lieber. Sie lebten auf dieser Erde, das heißt, wie ihr Gewissen es von ihnen verlangte.« Doch wenn ich jetzt anfange, die Seiten Italiens aufzuzählen, die nicht zu meinem Italien gehören, die Seiten Italiens, die ich nicht liebe, unter denen ich leide, dann höre ich gar nicht mehr auf. Und du wirst sicherlich bemerkt haben, dass ich aus Vaterlandsliebe nicht von dem Italien gesprochen habe, mit dem ich hätte beginnen müssen. Dem schmutzigen, bedrückenden, widerwärtigen Italien, der Mafia. Ein Thema, das ich nicht einmal anzusprechen vermag …

Sei's drum. Indem ich eben dieses Thema vermeide, will ich trotzdem einen Versuch wagen. Und tatsächlich. Das Italien der alten Kommunisten, zum Beispiel, die vierzig Jahre lang (eigentlich müsste ich sagen fünfzig, da sie begannen, als ich noch ein sehr junges Mädchen war) blaue Flecken auf meiner Seele hinterlassen haben. Sie haben mich mit ihrer Anmaßung beleidigt, ihrer Großtuerei, ihrer Überheblichkeit, ihrem intellektuellen Terrorismus, ganz abgesehen von dem Spott, mit dem sie alle überschütteten, die nicht ihrer Meinung waren. Sodass jeder, der sich nicht zu ihrer Religion bekannte, als Reaktionär sowie als Dummkopf, als Höhlenmensch und darüber hinaus als Lakai der Amerikaner dastand. Diese Mullahs von gestern, diese roten Pfaffen, die mich wie eine Ungläubige in Mekka behandelten (o Gott, wie viele Pfaffen und Mullahs ich in diesem Leben schon ertragen musste), aber gleich nach dem Fall der Berliner Mauer den Ton änderten. Orientierungslos wie Küken, die sich nicht mehr unter die Fittiche der Glucke, das heißt der Sowjetunion, flüchten können, improvisierten sie eine Gewissensprüfung. Erschrocken wie Pfarrer, die fürchten, ihre Gemeinde und damit ihre erworbenen Privilegien zu verlieren, und mit den erworbenen Privilegien ihren Traum, zum Erzbischof oder sogar zum Kardinal aufzusteigen, begannen sie, sich als Liberale zu gebärden. Oder vielmehr, Lektionen in Liberalismus zu erteilen. Daher spielen sie heute die Rolle von Gutmenschen. Ein bizarrer Ausdruck, in dem Wohlwollen, Nachsicht, Milde, Güte, Liebenswürdigkeit, Barmherzigkeit mitschwingt. (Die Entwicklung verlief im übrigen Europa genauso, aus Rot wurde Rosa, dann Weiß, in Frankreich, Spanien, Portugal, Deutschland, Holland, Ungarn - oder? Ja, ganz sicher.) Sowohl für ihre Partei als auch für ihre Bündnisse greifen sie gern auf Pflanzen- oder Blumennamen zurück. Die Eiche, der Ölbaum und die Margerite. Deswegen empfinden wahre Liberale wie ich heute eine tiefe Antipathie gegenüber Eichen, Ölbäumen und Margeriten. Eine Zeit lang verwendeten sie das Bild eines Esels, eines Tieres, das gewöhnlich iaht, soweit ich weiß, und keineswegs Intelligenz symbolisiert. Statt nach Moskau zu reisen und Lenins Mausoleum zu besichtigen, kommen sie nach New York und kaufen Hemden bei Brooks Brothers und Bettwäsche bei Bloomingdale's und organisieren gleich nach ihrer Rückkehr Kongresse unter einem angloamerikanischen Motto, einem Motto, das wie eine Waschmittelreklame klingt: *»I care«*. Was macht es schon, wenn sie kein Englisch können, die Arbeiter aus den Strömen von roten Fahnen, den Meeren von roten Fahnen. Was macht das schon, wenn mein Schreiner, ein alter, ehrlicher Florentiner Kommunist, nicht weiß, was es bedeuten soll, dieses *I care*. Er liest es *Icare*, glaubt, es handle sich um *Ikarus*, also um den jungen Griechen, der wie die Vögel fliegen wollte, dem jedoch beim Fliegen die Flügel aus Wachs schmolzen und ... paff: er zerschellte auf dem Boden und starb. Was macht das schon, wenn mein Schreiner mich ganz verwirrt fragt: »Sora Fallaci, ma icchè c'entra Ichero?!? Frau Fallaci, was hat eigentlich Ikarus damit zu tun?« Was macht das schon, wenn ich ihm erklären muss, dass etwas ganz anderes damit gemeint ist. Dass *I care* nichts mit Ikarus zu tun hat, sondern ein Verb ist oder vielmehr ein angloamerikanisches Motto, das bedeutet: *Das-ist-mir-wichtig*. Da wird mein Schreiner wütend: »Vorrei sapere chi l'è qui' bischero che l'ha niventato questa bischerata! Ich möchte mal wissen, welcher Trottel diese Schweinerei erfunden hat!« Sie beschimpfen mich nicht einmal mehr als dumm, reaktionär etc., die roten Expfaffen (doch dank dieses Buches werden sie es bald wieder tun). Manchmal sagen sie sogar Sachen, die ich sagte, als sie mich noch dumm, reaktionär etc. nannten. Und soweit ich weiß, greift mich ihre Zeitung nicht mehr mit Schmähungen, grundlosen Gemeinheiten und schändlichen Verleumdungen an (wird es aber bald wieder tun), mit welchen sie mich vierzig, fünfzig Jahre lang überhäufte in ihrer faschistischen Kolumne »Il fesso del giorno« (»Der Dummkopf des Tages«), die dann in »Il dito nell'occhio« (»Der Finger im Auge«) umgetauft wurde. Die Wochenblätter, idem. (Klammer auf: Nach meiner Reise nach Hanoi, das heißt, als ich mein Leben in Vietnam riskierte, widmete mir eine kommunistische Journalistin in einem bekannten kommunistischen Wochenblatt eine Reihe von bösartigen Artikeln, und weißt du, warum? Weil ich geschrieben hatte, dass in Nordvietnam Ho Chi Minhs Regierung ihre Untertanen bis in die kleinen Alltagsdinge hinein unterjoche. Dass sie zum Beispiel gezwungen wurden, getrennt Pipi zu machen und zu kacken, damit die nicht mit Urin vermischten Exkremente als Dünger verwendet werden konnten. Oder dass die, die keine Kommunisten waren, so brutal verfolgt wurden, dass ein alter Vietminh aus Dien Bien Phu sich eines Tages wie ein Kind an meiner Schulter ausweinte. »Madame, vous ne savez pas comme nous sommes traités ici, Madame. Madame, Sie ahnen ja nicht, wie wir hier behandelt werden, Madame.« Und weißt du, wie der Titel lautete, mit dem diese Dame die Artikelserie überschrieben hatte, ein Titel, der bei jeder Fortsetzung über zwei Seiten lief? »Signorina Snob fährt nach Vietnam.« Klammer zu.) Nein, zumindest vorerst halten sie sich zurück. Ganz Italien hat inzwischen vergessen, was sie mir angetan haben. Ich freilich habe es nicht vergessen und frage voller Empörung: »Wer gibt mir diese über vierzig Jahre zurück, die blaue Flecken auf meiner Seele hinterlassen und meine Ehre geschändet haben?« Einige Monate vor der Apokalypse in New York stellte ich diese Frage einem ehemaligen Kommunisten der ehemaligen Jugendorganisation der Kommunistischen Partei Italiens. Der Rekrutierungsanstalt (so nenne ich sie), aus der alle oder fast alle linken Minister oder Ministerpräsidenten oder Bürgermeister hervorgegangen sind, die meine Heimat bedrücken oder bedrückt haben. Ich erinnerte ihn daran, dass der Faschismus keine Ideologie, sondern ein Verhalten ist, und fragte ihn: »Wer gibt mir diese Jahre zurück?« Da er sich heute als Liberaler, als echter Progressist geriert, gab ich mich der Illusion hin, er würde das Folgende antworten: »Kein Mensch gibt sie dir zurück, meine Liebe. Im Namen meiner Expartei bitte ich um Verzeihung.« Stattdessen zuckte er nur die Achseln und erwiderte: »Verklag uns, geh vor Gericht!« Diesen Worten entnehme ich, dass der Wolf auch im Schafspelz immer ein Wolf bleibt, wie man in der Toskana sagt. Daher bestätige ich noch einmal, dass ihr Italien nicht mein Italien ist, es niemals sein wird.

* * *

Es ist nicht einmal das Italien ihrer Gegner, damit das klar ist. Ich wähle nicht etwa ihre

Gegner, und außerdem wähle ich sowieso seit sehr vielen Jahren niemanden mehr. Ein Confiteor, das ich mir voller Angst und Unbehagen auferlege, denn nicht zu wählen ist natürlich auch eine Stimme: eine legale und legitime Stimme, mit der man ausdrückt fahrt-alle-zur-Hölle. Aber es ist auch die traurigste, tragischste Art zu wählen, die es gibt. Die Stimme des Bürgers, der sich in niemandem wiedererkennt, der niemandem vertraut, der infolgedessen nicht weiß, von wem er sich vertreten lassen soll, und sich daher verlassen betrogen allein fühlt. Allein wie ich. Ich leide sehr, wenn in Italien Wahlen stattfinden. Ich rauche eine Zigarette nach der anderen, fluche und wiederhole mir ununterbrochen: Herrje, wir haben im Knast gesessen, sind gestorben, um uns das Wahlrecht zurückzuholen! Unsere Genossen sind gefoltert und erschossen oder in Konzentrationslagern vernichtet worden, um uns diese Freiheit zurückzugeben. Und ich wähle nicht! Ich leide, ja. Und verfluche meine Strenge, meine Unerschütterlichkeit, meinen Hochmut. Ich beneide diejenigen, die sich anpassen, wenn nötig beugen oder jedenfalls einen Kompromiss finden und jemanden wählen können, der ihnen das kleinere Übel zu sein scheint. (Wenn es dagegen ein Referendum gibt, beteilige ich mich. Denn da muss ich ja nicht für Männer und Frauen stimmen, in denen ich mich nicht wiedererkenne, von denen vertreten zu werden ich mich weigere.

Beim Referendum verläuft der demokratische Prozess ohne Mittelsmänner. »Willst du die Monarchie?« »Nein.« »Willst du die Republik?« »Ja.« »Willst du die Jäger, die vor deiner Haustür die Vögelchen abschießen?« »Herrgott, nein.« »Willst du ein Gesetz, das deine Privatsphäre schützt?« »Herrgott, ja.«) Und dies gesagt, lass mich kurz mit dem Boss dieser Gegner reden. Dem Ministerpräsidenten, den man Cavaliere nennt.

Eine kurze Ansprache: Verehrter Signor Cavaliere, ich weiß, was ich über die ehemaligen Kommunisten sage, lässt Sie frohlocken wie eine glückliche Braut. Aber freuen Sie sich nicht zu früh: Sie kommen auch noch an die Reihe. Ich habe Sie nur deshalb so lange warten, auf heißen Kohlen sitzen lassen, weil Sie nicht zu diesen mehr als vierzig Jahren voller Widerwärtigkeiten gehören. Sie sind nicht Teil einer Vergangenheit, die mir noch auf der Seele brennt. Außerdem kenne ich Sie nicht seit über einem halben Jahrhundert, das heißt, so gut wie die anderen. Sie sind ein Neuling, eine Neuheit, Signor Cavaliere. Ausgerechnet, als ich von Politik (ein mir heiliges Wort, falls Sie es noch nicht begriffen haben) nichts mehr hören wollte, sind Sie aufgetaucht. Ganz plötzlich, unerwartet. Ich meine: In der Politik sind Sie aus dem Nichts aufgetaucht wie manche Pflanzen, die unvermutet im Garten wachsen, sodass man sie unschlüssig anschaut und sich verwirrt fragt: »Was ist das denn?

Ein Radieschen? Eine Brennnessel?« Seitdem beobachte ich Sie neugierig und ratlos, ohne entscheiden zu können, ob Sie ein Radieschen oder eine Brennnessel sind, doch denke ich, falls Sie ein Radieschen sein sollten, sind Sie kein großartiges Radieschen, und falls Sie eine Brennnessel sein sollten, sind Sie keine großartige Brennnessel. Übrigens machen Sie selbst auch den Eindruck, als hegten Sie diese Zweifel, als nähmen Sie sich nicht allzu ernst. Zumindest mit dem Mund lachen Sie zu viel (mit den Augen viel weniger oder überhaupt nicht). Sie lachen, als ob Sie wüssten, dass Ihr Erfolg in der Politik ein extravaganter, unverdienter Zufall ist: ein Witz der Geschichte, ein bizarres Abenteuer in Ihrem abenteuerlichen Leben. Und dies vorausgeschickt, erlauben Sie mir (ich bediene mich Ihrer Sprache, sehen Sie) darzulegen, was mir an dem Radieschen oder der Brennnessel nicht gefällt.

Zunächst einmal: mir gefällt Ihr entschiedener Mangel an gutem Geschmack und Scharfsinn nicht. Die Tatsache, zum Beispiel, dass Sie so großen Wert darauf legen, Cavaliere genannt zu werden. Es handelt sich wirklich nicht um einen raren und bedeutenden Titel, glauben Sie mir: Italien produziert mehr Cavalieri und Commendatori als Gesindel und Opportunisten. Stellen Sie sich vor, einmal wollte ein Präsident der Republik auch mich in diesen Haufen einreihen. Um ihn davon abzuhalten, musste ich ihm mitteilen, dass ich ihn, falls er es wagen sollte, wegen Diffamierung verklagen würde. Sie jedoch tragen diesen Titel voller Stolz, als wäre er eine Goldmedaille oder ein feudales Wappen. Und da auch Mussolini sich damit schmückte, da Ihnen, im Gegensatz zu ihm, die Freiheit so wichtig ist, halte ich dieses »Cavaliere« politisch für einen Fehler. Es entbehrt auch nicht der Komik. Und ein Regierungschef kann es sich nicht erlauben, komisch zu sein. Sonst macht er sein Land lächerlich. Auch Ihr mangelndes Taktgefühl gefällt mir nicht, oder vielmehr der Leichtsinn, mit dem Sie den Namen Ihrer Partei gewählt haben. Einen Namen, der an das ohrenbetäubende Gegröle erinnert, das die Fans bei internationalen Fußballspielen veranstalten. Und das beleidigt und schmerzt mich genauso, wie mich die Gemeinheiten der Kommunisten beleidigten und schmerzten. Vielleicht sogar noch mehr, denn diesmal wird die Wunde nicht mir persönlich beigebracht, mein Herr. Sie wird meinem Vaterland beigebracht. Sie haben keinerlei Recht, den Namen meines Vaterlands für Ihre Partei zu monopolisieren: Das Vaterland ist für alle da, ist auch das Vaterland Ihrer Gegner und Ihrer Feinde. Sie haben kein Recht, Italien mit den verfluchten Fußballvereinen und den noch verfluchteren Stadien gleichzusetzen. Für solch einen Missbrauch hätte mein Ururgroßvater Giobatta Sie mit dem Schwert von Curtatone und Montanara zum Duell gefordert. Meine Onkel mit den Bajonetten, mit denen sie im Karst gekämpft haben. Mein Vater hätte Sie verprügelt, meine Mutter hätte Ihnen die Augen ausgekratzt. Was mich betrifft, ich muss jedes Mal, wenn ich dieses Forza Italia höre, an internationale Fußballspiele denken, und mir schießt das Blut in den Kopf. Wer hat Ihnen bloß diesen Namen eingeflüstert? Einer ihrer Hausangestellten, einer ihrer Chauffeure?

Des Weiteren gefällt mir Ihr Mangel an Ernsthaftigkeit nicht, den Sie mit Ihrer Gewohnheit, Witze zu erzählen, unter Beweis stellen. Ich hasse Witze, gütiger Himmel, wie ich sie hasse, und bin der Ansicht, dass ein Regierungschef keine Witze erzählen darf. Signor Cavaliere, wissen Sie, was das Wort Politik bedeutet? Wissen Sie, woher es kommt? Es kommt aus dem Griechischen ΠΟΛΙΤΙΚΗ und bedeutet Wissenschaft vom Staat. Es bedeutet die Kunst des Regierens, die Kunst, die Geschicke einer Nation zu verwalten. Finden Sie etwa, dass das zu Witzen passt? Wenn ich Sie höre, verzweifle ich. Ich bin deprimiert und denke: »Herrje! Ja begreift dieser Mann denn nicht, dass die Italiener ihn aus Verzweiflung gewählt haben, das heißt, weil sie seine Vorgänger einfach nicht mehr ausgehalten haben. Begreift er nicht, dass er der Madonna eine Kerze anzünden müsste, sich ernsthaft bemühen und alles tun müsste, um sich des Sechsers im Lotto würdig zu erweisen, der ihm aus heiterem Himmel zugefallen ist?!?« Schließlich gefallen mir gewisse Bündnispartner nicht, die Sie gewählt haben, Signor Cavaliere. Die Grünhemden des Separatisten, der nicht einmal weiß, welche Farben unsere Trikolore hat, und die Enkel derer, die das Schwarzhemd trugen. Diese behaupten, sie seien keine Faschisten mehr, und wer weiß: Vielleicht ist es wahr. Doch ich traue auch denen nicht über den Weg, die aus der Kommunistischen Partei kommen und behaupten, sie seien keine Kommunisten mehr, wie sollte ich da denen trauen, die aus einer neofaschistischen Partei kommen und behaupten, sie seien keine Faschisten mehr. So. Und nun kommen wir zur Sache.

Sie werden bemerkt haben, mein Herr, dass ich Ihnen Ihren Reichtum nicht vorwerfe. Dass ich nicht in den Chor derjenigen einstimme, die darin eine Art Schuld und ein Hindernis im Hinblick auf das Regieren sehen. Einem reichen Mann das Recht zu verweigern, in die Politik einzutreten, ist meiner Meinung nach undemokratisch, demagogisch und illegal und unglaublich dumm. Ich halte es mit Alekos Panagoulis, der, wenn ein Politiker oder ein Regierungschef reich war, zu sagen pflegte: »Umso besser! Dann stiehlt er nicht. Er hat es nicht nötig.« Übrigens waren und sind auch die von der europäischen Linken gefeierten Kennedys skandalös reich. Ebenso wenig werfe ich Ihnen vor, dass Sie drei Fernsehsender besitzen, ich finde die Sorgen Ihrer Gegner hinsichtlich dieses Details geradezu lächerlich. Erst einmal, weil die beiden Ihnen so schamlos und albern ergebenen Sender so schlecht gemacht sind, dass sie mir alles andere als eine Gefahr zu sein scheinen. Und schließlich, weil der dritte, der gut gemachte und erfolgreiche Kanal Sie so unverschämt malträtiert, dass er nicht Ihnen, sondern den Parteien mit Pflanzen- und Blumennamen zu gehören scheint. Jedenfalls haben Ihre Gegner in Italien wie auch im übrigen Europa die Medienwelt so fest in der Hand, was die Information durch Fernsehen und Presse betrifft, und beeinflussen die öffentliche Meinung so frech mit ihrer aufwieglerischen und ebenfalls schamlosen Propaganda, dass sie bei diesem Thema lieber den Schnabel halten sollten. Nein, nein, das ist nicht der entscheidende Punkt, ich spreche von etwas anderem. Und zwar von dem kläglichen Eindruck, den sie nach der Apokalypse in New York gemacht haben. Ich habe gelesen, dass Sie mir bei der Verteidigung der westlichen Kultur zuvorgekommen sind. Wenn auch ungeschliffen, ungeschickt und barsch, haben Sie mit einigen Tagen Vorsprung das Ziel erreicht. Doch kaum sind die Luxuszikaden Ihnen an die Gurgel gegangen, Rassist-Rassist, haben Sie alles zurückgenommen. Haben von »Fauxpas« gesprochen bzw. sprechen lassen, haben sich bei den Söhnen Allahs entschuldigt, haben den Affront weggesteckt, dass diese Ihre Entschuldigung zurückgewiesen haben, haben ohne einen Muckser die heuchlerischen Vorwürfe Ihrer europäischen Kollegen sowie die Hiebe von Blair eingesteckt. Kurz, Sie haben Angst bekommen. Und das ist unverzeihlich, Signor Cavaliere. Unverzeihlich. Wenn ich Regierungschef gewesen wäre, das versichere ich Ihnen, hätte ich sie alle mit Stumpf und Stiel verspeist, und Herr Blair hätte sich nicht zu sagen getraut, was er zu Ihnen gesagt hat. (Do you hear me, Mister Blair? I did praise you and I praise you again for standing up to the Usama Bin Ladens as no other European leader has done. But if you play the worn-out games of diplomacy and shrewdness, if you separate the Usama Bin Ladens from the world they belong to, if you declare that our civilization is equal to the one which imposes the chador yet the burkah and forbids to drink a glass of wine, you are no better than the Italian de-luxe cicadas. If you don't defend our culture, my culture and your culture, my Leonardo da Vinci and your Shakespeare, if you don't stand up for it, you are a deluxe cicada yourself and I ask: why do you choose my Tuscany, my Florence, my Siena, my Pisa, my Uffizi, my Tirrenean Sea for your summer vacations? Why don't you rather choose the empty deserts of Saudi Arabia, the desolate rocks of Afghanistan? I had a bad feeling when my Prime Minister received your scolding. The feeling that you will not go very far with this war, that you will withdraw as soon as it will no longer serve your political interests.)

Oder haben Sie, Signor Cavaliere, Angst bekommen und aus einem ganz anderen Grund einen kläglichen Eindruck gemacht? Aus Freundschaft zu dem kaffiah tragenden Mann mit der großen Nase und der dunklen Brille, der auf den Namen Ihre Königliche Hoheit Prinz Al Walid hört: Mitglied des saudi-arabischen Königshauses und Ihr Geschäftspartner. (Jaja: genau der Mann, der nach der Apokalypse in New York zehn Millionen Dollar zur Verfügung stellte und dem Bürgermeister Giuliani scharf antwortete: »No thanks. I don't want them.«) Denn, in diesem Fall würde ich sagen, dass der Ministerpräsident meines Landes dieser Königlichen Hoheit nicht die Hand geben dürfte. Nicht mal Guten Tag murmeln. Ich würde sagen, dass unsere Beziehungen zu diesem Individuum mein Land diskreditieren und unsere Werte verhöhnen, unsere Prinzipien. Ich erinnere Sie daran bzw. wiederhole, dass das saudi-arabische Königshaus von der gesamten westlichen Presse und von sämtlichen Geheimdiensten der Welt beschuldigt wird, heimlich den islamischen Terrorismus zu finanzieren. Ich erinnere Sie daran, dass mehrere Mitglieder dieser Familie Aktionäre des Rabita Trust sind: des »Wohltätigkeitsvereins«, den der gut informierte amerikanische Schatzminister auf die schwarze Liste der Bankinstitute gesetzt hat, die Usama Bin Laden finanzieren und von dem selbst Bush mit brennender Empörung gesprochen hat. Ich erinnere Sie daran, dass viele dieser Prinzen ihre Finger in der Muwafaq Foundation haben: einem anderen »Wohltätigkeitsverein«, der nach Aussage des gut informierten amerikanischen Schatzministeriums die Gelder ins Ausland transferiert, die Bin Laden für seine Massaker benötigt. Ich erinnere Sie daran, dass Bin Ladens immenses Kapital in Saudi-Arabien bis heute nicht eingefroren wurde und dass in Saudi-Arabien nicht das Gesetz herrscht, sondern das saudi-arabische Königshaus. Ich erinnere Sie daran, dass, als die Palästinenser uns in denFlugzeugen und Flughäfen ermordeten, dieses saudi-arabische Königshaus Arafat regelmäßig finanzierte, also den Hauptverantwortlichen für diese Morde. (Das hat mir der damalige Ölminister, Ahmad Yamani, in Riad bestätigt, und außerdem war es sowieso für niemanden ein Geheimnis.) Ich erinnere Sie daran, dass es in Saudi-Arabien ein Religionsministerium gibt, das nach dem Willen des Königshauses den extremistischsten Fundamentalisten anvertraut wurde. Jenen, die Bin Laden ausgebildet, vergiftet, den Nachtclubs Beiruts entrissen haben. Ich erinnere Sie auch daran, dass dieses Ministerium in der ganzen Welt Moscheen bauen lässt, in denen junge Moslems für den Heiligen Krieg rekrutiert werden. (Das ist auch in Tschetschenien geschehen, mit dem bekannten Ergebnis.) Daran erinnere ich Sie, und der Verdacht, dass Sie aus Rücksicht auf Ihren Geschäftspartner die »unangemessene« Verteidigung der westlichen Kultur zurückgenommen haben, irritiert mich zutiefst, er macht mich rasend, und ich sage Ihnen abschließend: Recht haben Ihre Gegner, die Sie daran erinnern, dass ein Land zu regieren nicht dasselbe ist, wie einen Betrieb zu leiten oder einen Fußballverein zu besitzen. (Ihnen gehört doch dieser Verein, der AC Mailand, nicht wahr?) Sie haben Recht, denn als Regierungschef muss man über Qualitäten verfügen, die auch Ihre zahlreichen Vorgänger niemals gezeigt haben, das ist wahr, und die auch Ihre europäischen Kollegen nicht vorweisen können, das ist wahr, die Sie aber erst recht nicht pflegen. Die Qualitäten nämlich, die zum Beispiel Klemens Wenzel Lothar Fürst von Metternich, Camillo Benso Graf von Cavour und Benjamin Disraeli besaßen. Zu unserer Zeit Churchill, Roosevelt und De Gaulle. Konsequenz, Glaubwürdigkeit, Kenntnis der Geschichte von gestern und heute, Stil und Klasse im Überfluss, und vor allem Mut. Oder verlange ich auch in puncto Mut zu viel?

Vielleicht schon: Ich verlange zu viel. Denn sehen Sie, mein Herr, mir wurde ein sehr ungewöhnlicher Reichtum in die Wiege gelegt, mit dem ich aufgewachsen bin: der Reichtum jener, die erzogen wurden wie Bobby und der New Yorker Bürgermeister Giuliani … Und um besser zu erklären, was ich meine, wechsle ich das Thema und erzähle Ihnen etwas über meine Mutter. Oh, Signor Cavaliere, Sie haben ja keine Ahnung, wer meine Mutter war! Sie haben keine Ahnung, was sie ihre Töchter gelehrt hat. (Lauter Schwestern waren wir: Brüder gab es keine.) Denn die Leute reden immer nur von meinem Vater, vom Mut meines Vaters, niemand verliert ein Wort über meine Mutter, und … Als mein Vater im Frühjahr 1944 von den Nazi-Faschisten verhaftet wurde, wusste niemand, wo er hingekommen war. Die Florentiner Tageszeitung berichtete nur, dass man ihn festgenommen hatte, weil er ein von den Feinden (sprich: Angloamerikanern) gekaufter Krimineller sei. Doch meine Mutter sagte: »Ich werde ihn finden.« Sie lief von Gefängnis zu Gefängnis, um ihn zu suchen, dann ging sie zur Villa Triste, der Folterzentrale, und schaffte es sogar, bis ins Büro des Chefs vorzudringen. Eines gewissen Mario Carità (zu Deutsch: Marius Barmherzigkeit). Dieser gab zu, dass er Papa in seiner Gewalt hatte, und fügte höhnisch hinzu: »Signora, Sie können schwarze Kleider anziehen. Morgen früh um sechs wird Ihr Mann im Parterre erschossen. Wir vergeuden keine Zeit mit Prozessen.« Sehen Sie, ich habe mich immer gefragt, wie ich an ihrer Stelle reagiert hätte. Und die Antwort lautete stets: Ich weiß es nicht. Ich weiß jedoch, wie meine Mutter reagierte. Das ist bekannt. Sie blieb einen Augenblick reglos stehen. Tief getroffen.

Dann hob sie langsam den rechten Arm. Sie deutete mit dem Zeigefinger auf Mario Carità und erwiderte mit schneidender Stimme, wobei sie ihn duzte, als wäre er ihr Lakai: »Mario Carità, morgen früh um sechs Uhr werde ich tun, was du sagst. Ich werde schwarze Kleider anziehen. Doch wenn du aus dem Bauch einer Frau gekommen bist, rate deiner Mutter, das Gleiche zu tun. Denn dein Tag wird bald kommen.«

Was danach geschah, nun: Das erzähle ich ein andermal. Vorerst möge es Ihnen genügen zu wissen, dass mein Vater nicht erschossen wurde, dass Mario Carità bald das Ende nahm, das meine Mutter ihm gewünscht hatte, und dass Ihr Italien nicht mein Italien ist. Nie wird es mein Italien sein.

* * *

Auch das arbeitsscheue, kraftlose Italien nicht, das Italien, das unter Freiheit Zügellosigkeit versteht (»Ich-mache-was-ich-will«). Das Italien, das keine Disziplin bzw. Selbstdisziplin kennt und deshalb diesen Begriff nicht mit dem Begriff der Freiheit verbindet und deshalb nicht versteht, dass Freiheit auch Disziplin oder vielmehr Selbstdisziplin bedeutet. Das Italien, das mein Vater auf dem Totenbett mit diesen Worten beschrieb: »In Italien spricht man immer von Rechten und nie von Pflichten. In Italien tut man so, als wüsste man nicht, oder weiß man wirklich nicht, dass jedes Recht eine Pflicht mit sich bringt, dass der, der seine Pflicht nicht erfüllt, auch keinerlei Recht verdient.« Und weiter, voller Bitterkeit: »Was war ich doch für ein Idiot, mich so für die Italiener zu engagieren und sogar für sie ins Gefängnis zu gehen!« Mit diesem Italien, dem armseligen Italien, das daraus folgt. Arm an Ehre, an Stolz, an Wissen und sogar an Grammatikkenntnissen. Das Italien, zum Beispiel, der berühmten Richter und berühmten Abgeordneten, die noch nie etwas von Consecutio temporum gehört haben und deshalb bei ihren Ansprachen im Fernsehen die grausigsten Syntaxfehler machen. (Es heißt nicht: »Wenn ich vor zwei Jahren gewusst haben würde.« Bestien! Es heißt: »Wenn ich vor zwei Jahren gewusst hätte.« Esel! Es heißt nicht: »Ich glaubte, es ist.« Analphabeten! Es heißt: »Ich glaubte, es sei.« Dummköpfe!) Das Italien der Lehrer und Lehrerinnen, der Professoren und Professorinnen, von denen ich Briefe bekomme, in denen es von Syntaxfehlern und sogar von Rechtschreibfehlern wimmelt. Wenn du daher einen Sekretär einstellst, der ihr Schüler war, findest du dann auf deinem Schreibtisch Nachrichten wie die, die ich vor Augen habe: »Signora, Ihre Freundin sagt, sie ist *inn* Chicago.« … Das Italien der Studenten, die Mussolini mit Rossellini dem-Ehemann-von-Ingrid-Bergman verwechseln. (Ja, selbst das musste ich mit eigenen Ohren hören.) Und wenn du sie fragst, was in Dachau und Mauthausen geschah, antworten sie dir: »Da wurde Seife produziert.« (Ja, selbst das musste ich mit eigenen Ohren hören.) Und stelle um Gottes willen nicht ihre Kenntnis der Landesgeschichte auf die Probe. Frag sie bloß nicht, wer die Carbonari waren. Denn sie antworten: »Kohlenverkäufer, was denn sonst?« Frag sie bloß nicht, wer Silvio Pellico, Karl Albert, Massimo d'Azeglio, Federico Confalonieri, Ciro Menotti oder Pius IX. waren, und auch nicht, wer Cavour, Viktor Emanuel II. und Mazzini waren oder was das »Junge Italien« war. Denn sie sehen dich mit stumpfen Augen und offenem Mund an. Höchstens erinnern sie sich dank eines Films mit Marlon Brando daran, dass Napoleon, ein General, der Kaiser wurde, der Mann von Josephine war. Zum Ausgleich wissen sie, wie man Drogen nimmt, den Samstagabend in der Diskothek vertrödelt, Bluejeans kauft, die so viel kosten, wie ein Arbeiter im Monat verdient. Sie wissen, wie man sich bis dreißig von den Eltern aushalten lässt, die ihnen mit neun ein Handy, mit vierzehn ein Moped und mit achtzehn ein Auto geschenkt haben. Wenn du einen Sekretär suchst, um den zu ersetzen, der ist-*inn*-Chicago schreibt, und den siebenundzwanzig Jahre alten Kandidaten fragst, was er bisher gearbeitet hat, kann es sein, dass er dir antwortet: »Lassen Sie mich mal nachdenken. Ach ja: Einmal habe ich als Tennislehrer gejobbt. Ich spiele nämlich gut Tennis.« Sie strömen auch zu den Kundgebungen eines Papstes, der meines Erachtens eine große Sehnsucht nach weltlicher Macht verspürt und diese insgeheim auch sehr geschickt ausübt. (Das habe ich im Fernsehen gesehen.) Sie wissen auch, wie man sich vermummt, und vergnügen sich in Zeiten der Demokratie, das heißt, wenn es keinen Carità und keinen Pinochet und keine Erschießungskommandos gibt, damit, die Rolle von Guerilleros zu spielen: diese Pseudorevolutionäre. Diese Weichlinge, die Erben der Achtundsechziger, die die Universitäten auf den Kopf stellten und heute die Wall Street oder die Börse in Mailand, Paris oder London bestimmen. Und diese Dinge ekeln mich maßlos an, denn der zivile Ungehorsam ist eine ernste Sache, kein Vorwand, um sich zu amüsieren und Karriere zu machen. Der Wohlstand ist eine Errungenschaft der Zivilisation und kein Vorwand, um zu schmarotzen. Ich bin mit sechzehn arbeiten gegangen, mit achtzehn habe ich mir ein Fahrrad gekauft und mich gefühlt wie eine Königin. Mein Vater hat schon mit neun Jahren gearbeitet. Meine Mutter mit zwölf. Und vor ihrem Tod sagte sie zu mir: »Weißt du, ich bin so froh, dass ich noch erlebt habe, dass solche Ungerechtigkeiten wie Kinderarbeit abgeschafft worden sind.« Tja. Sie glaubte, wenn die Kinder nicht mehr arbeiten müssten, wären alle Probleme gelöst. Arme Mama … Sie glaubte, mit der Pflichtschule und der Universität, die allen offen steht (ein Wunder, das sie nie kennen gelernt hat), würden die jungen Leute alles lernen, was sie nicht gelernt hat, aber so gerne gelernt hätte. Sie glaubte, sie hätte gewonnen, wir hätten gewonnen ... Gewonnen?! Wie gut, dass sie gestorben ist, bevor ihr klar wurde, dass dem nicht so war! Denn wir haben verloren, mein Lieber, verloren. Anstelle von gebildeten jungen Menschen haben wir Esel mit Universitätsdiplom. Anstelle von zukünftigen Leitfiguren haben wir Weichlinge, von denen ich bereits gesprochen habe. Und erspare mir das übliche Gewinsel aber-sie-sind-doch-nicht-alle-so. Es-gibt-doch-auch-gute-Studenten, junge-Männer-und-junge-Frauen-die-viel-können. Ich weiß sehr wohl, dass es sie gibt! Das hätte gerade noch gefehlt. Aber es sind wenige. Zu wenige. Sie genügen mir nicht. Sie genügen nicht.

Was das Italien der Zikaden angeht, mit deren Beschreibung ich diese verzweifelte Predigt eröffnet habe ... Diese erbärmlichen, nutzlosen Zikaden, die mich nach diesem Buch mehr hassen werden denn je, die mich nach einem großen Teller Spaghetti oder einem saftigen Hamburger heftiger verfluchen werden denn je und die mir den Tod wünschen werden, die Ermordung durch einen der Söhne Allahs. Diese fiktiven Revolutionäre, diese falschen Christen, die das Ende unserer Zivilisation vorbereiten. Diese Parasiten, die sich als Ideologen verkleidet haben, als Journalisten, Schriftsteller, Theologen, Schauspieler, Kommentatoren, Clowns, Edelhuren oder zirpende Grillen, Exstiefellecker von Khomeini und Pol Pot, sagen nur, was man von ihnen erwartet. Was ihnen hilft, in den pseudointellektuellen Jetset aufgenommen zu werden oder sich weiter darin zu tummeln, wichtigste Privilegien und Vorteile für sich zu nutzen und Geld zu verdienen. Diese Insekten, bei denen an die Stelle der marxistischen Ideologie die Mode der politischen Korrektheit getreten ist. Die Mode oder wohl eher das Idiotentum, das im Namen der Brüderlichkeit (sic!) einen Pazifismus um jeden Preis predigt und selbst jenen Krieg ablehnt, den wir einst gegen den Nazi-Faschismus geführt haben. Die Mode oder wohl eher der faule Zauber, der im Namen des Humanitarismus (sic!) die Angreifer hochleben lässt und die Verteidiger verleumdet, Straftätern die Absolution erteilt und Opfer verdammt, die Taliban beweint und die Amerikaner bespuckt, den Palästinensern alles verzeiht und den Israelis rein gar nichts und die Juden im Grunde am liebsten in die Konzentrationslager von Dachau und Mauthausen bringen würde. Die Mode oder wohl eher die Demagogie, die im Namen der Gleichheit (sic!) Leistung und Erfolg, Werte und Wettbewerb negiert, die eine Mozart-Symphonie und eine Monstrosität namens Rap oder einen Renaissancepalast und ein Zelt in der Wüste auf ein und derselben Ebene ansiedelt. Die Mode oder wohl eher der Irrsinn, der im Namen der Gerechtigkeit (sic!) einwandfreie Begriffe aus der Welt schafft und die Straßenkehrer zu »ökologischen Einsatzkräften« macht. Die Haushälterinnen zu »Familienmitarbeiterinnen«. Die Hausmeister in der Schule zu »nicht lehrendem Personal«. Die Blinden zu »Nichtsehenden«. Die Tauben zu »Gehörlosen«. Und die Lahmen (nehme ich an) zu »Nichtgehenden«. Die Mode oder wohl eher die Scheinheiligkeit, der Sadismus, der aus der Infibulation eine »regionale Tradition« oder eine »andere Kultur« werden lässt. Ich spreche hier von jenem fürchterlichen Brauch, den mancher Moslem pflegt, um zu verhindern, dass junge Mädchen ihre Sexualität genießen. Dazu beschneiden sie die Klitoris dieser Mädchen und nähen ihre äußeren Schamlippen zusammen. (Unverschlossen bleibt nur eine winzig kleine Öffnung zum Wasserlassen. Man kann sich unschwer vorstellen, welche Schmerzen eine Entjungferung und eine Schwangerschaft unter diesen Umständen mit sich bringen.) Die Mode oder wohl eher die Farce, die dazu führt, dass ein marokkanischer Wortführer Beachtung findet, der behauptet, die Europäer hätten die griechische Philosophie in der Vermittlung durch die Araber entdeckt. Der behauptet, die arabische Sprache sei die Sprache der Wissenschaft und seit dem 9. Jahrhundert die bedeutendste der Welt. Der behauptet, Jean de la Fontaine habe seine *Fables* nicht nach der Lektüre von Aesops Werk geschrieben, sondern nachdem er auf bestimmte indische Erzählungen gestoßen war, die ein Araber namens Ibn al-Mukaffa übersetzt hatte.[1] Und schließlich die Mode, die es den Zikaden erlaubt, eine neue Form von intellektuellem Terrorismus zu etablieren, indem sie sich nach Gutdünken des Begriffs »Rassismus« bemächtigen. Sie wissen nicht, was dieser Begriff bedeutet, bemächtigen sich seiner aber trotzdem auf solch unverschämte Art, dass es keinen Sinn hätte, sie mit der Einschätzung eines afroamerikanischen Intellektuellen zu konfrontieren, dessen Ahnen Sklaven waren, dessen Großeltern die Grausamkeiten des Rassismus kannten und den ich vor kurzem im Fernsehen sah: »Speaking of racism in relation to a religion is a big disservice to

[1] *Anmerkung der Autorin:* Ich beziehe mich hier auf jenes Individuum, dem UN-Generalsekretär Kofi Annan in feierlicher Zeremonie einen Preis verliehen hat, der irgendetwas mit Frieden zu tun hat. Und das mich verleumdet, indem es behauptet, meine Abneigung gegenüber dem Islam sei den Kränkungen und Enttäuschungen geschuldet, die ich durch arabische Männer erfahren hätte. (Und das natürlich auf gefühlsmäßiger und sexueller Ebene.) Ein Individuum, dem ich antworte, dass ich Gott sei Dank noch nie etwas mit einem arabischen Mann zu tun hatte. Meiner Auffassung nach sind seine Glaubensbrüder nämlich getragen von einer Verachtung für alle Frauen mit gutem Geschmack. Und ich antworte ihm auch, dass seine Vulgarität erst recht jene Geringschätzung unter Beweis stellt, die der Grund dafür ist, dass moslemische Männer Frauen wie den letzten Dreck behandeln. Und diese Geringschätzung gebe ich von ganzem Herzen zurück.

the language and to the intelligence. Wendet man den Begriff Rassismus in Bezug auf eine Religion an und nicht auf eine Rasse, so erweist man der Sprache und dem logischen Denken einen wahrhaft schlechten Dienst.« Es hätte wirklich keinen Sinn, denn sobald man Zikaden zum Nachdenken auffordert, reagieren sie wie der Idiot aus einer Spruchweisheit von Mao Tse-tung: »Wenn du ihm mit dem Finger den Mond zeigst, blickt der Idiot auf den Finger. Er sieht den Finger und nicht den Mond.« Und natürlich sehen sie doch manchmal den Mond und nicht den Finger ... In den geheimen Winkeln ihres kleinen Hirns verstehen sie sehr genau, was ich meine. Weil sie aber nicht den Mumm haben, den es braucht, um gegen den Strom zu schwimmen, um auf politische Korrektheit zu verzichten, tun sie so, als sähen sie den Finger.

In das Geschwätz dieser Leute soll ich einstimmen, meinst du, wenn du mir das Schweigen vorwirfst, das ich gewählt habe, wenn du mich dafür tadelst, dass ich meine Tür abschließe? Jetzt bringe ich noch einen Riegel an, an meiner verschlossenen Tür! Besser noch, ich kaufe einen bissigen Hund, und danke Gott, wenn ich an das kleine Gartentor vor der verschlossenen Tür ein Schild mit der Aufschrift Cave Canem. Vorsicht-vor-dem-Hund hänge. Weißt du, warum? Weil ich erfahren habe, dass einige Super-Luxus-Zikaden bald nach New York kommen. Im Urlaub kommen sie, um das neue Herkulaneum, das neue Pompeji zu bestaunen, das heißt, die Türme, die es nicht mehr gibt. In einem Luxusflugzeug werden sie anreisen und in einem Luxushotel logieren (im Waldorf Astoria oder im Four Seasons oder im Plaza, wo man für eine Nacht nie weniger als sechshundertfünfzig Dollar bezahlt), und kaum dass sie ihre Koffer abgestellt haben, werden sie eilig die Trümmer besichtigen. Mit ihren superteuren Fotoapparaten werden sie die Reste des geschmolzenen Stahls knipsen, eindrucksvolle Bilder, die sie dann in den Salons unserer Hauptstadt herumzeigen können. Mit ihren superteuren Schuhen werden sie über das Kaffeepulver trampeln, und weißt du, was sie dann machen werden? Sie werden sich Gasmasken kaufen, die hier in den Geschäften angeboten werden, weil die Menschen einen chemischen und bakteriologischen Angriff fürchten. Es ist chic, verstehst du, mit einer in New York gekauften Gasmaske für den chemischen und bakteriologischen Angriff gerüstet nach Rom zurückzukommen. Damit kann man prahlen: »Ich habe in New York mein Leben aufs Spiel gesetzt, weißt du!« So kann man auch eine neue Mode lancieren. Die Mode des Gefährlichen Urlaubs. Nach dem Fall von Robespierre, pardon, der Sowjetunion haben sie den Intelligenten Urlaub erfunden. Jetzt ist der Gefährliche Urlaub dran, und sei dir gewiss: Die Luxus- und sonstigen Zikaden der anderen europäischen

Länder tun es ihnen gleich. Womit wir bei Europa wären.

* * *

Liebe Zikaden aus England, Frankreich, Deutschland, Spanien, Holland, Ungarn, Skandinavien et cetera, et cetera, amen: Freut euch nicht zu früh über meine Beschimpfung aller Italien, die nicht mein Italien sind. Eure Länder sind um kein Haar besser als meines. In neun von zehn Fällen sind sie leider bestürzende Kopien. Fast alles, was ich über die Italiener gesagt habe, gilt auch für euch, ihr seid nämlich aus dem gleichen Holz. In diesem Sinn bilden wir wirklich eine große Familie ... Gleich ist die Schuld, gleich die Feigheit und Heuchelei. Gleich die Blindheit, die Beschränktheit, die Misere. Gleich die Politiker von rechts und von links, gleich die Arroganz ihrer Jünger. Gleich die Arroganz und der Opportunismus, der intellektuelle Terrorismus, und die Demagogie. Um sich das klarzumachen, genügt es, einen Blick hinter die Kulissen jenes Finanzclubs zu werfen, den man gemeinhin Europäische Union nennt. Ein Club, dessen alleiniger Zweck darin besteht, den schönrednerischen Unsinn namens gemeinsame Währung durchzusetzen, den Italienern ihren Parmesan und ihren Gorgonzola zu nehmen, den Mitgliedern seines unfähigen Parlaments sagenhafte Diäten zu bezahlen (steuerfrei) und uns mit seinem populistischen Unsinn zu belästigen. Zum Beispiel damit, dass siebzig Hunderassen abgeschafft werden (Alle-Hunde-sind-gleich, lautete hierzu der ironische Kommentar der Anthropologin Ida Magli), oder damit, dass die europäischen Flugzeugsitze normiert werden. (Alle-Ärsche-sind-gleich.) Ein Club, der nur Englisch oder Französisch spricht, niemals aber Italienisch oder Spanisch oder Flämisch oder Finnisch oder Norwegisch oder eine andere Sprache. Ein Club, in dem die bekannte Troika England–Frankreich–Deutschland den Ton angibt. (O Gott! Frankreich, England und Deutschland hassen sich seit Jahrhunderten und übernehmen schlussendlich doch immer wieder gemeinsam das Kommando.) Ein Club, der mehr als fünfzehn Millionen Söhnen Allahs Schutz gewährt und Gott weiß wie vielen Terroristen oder Terroristenanwärtern oder zukünftigen Terroristen. Ein Club, der mit den arabischen Ländern ins Bett steigt wie eine Hure und der sich die Taschen mit deren vergifteten Petrodollars voll stopft. Ein Club, der sich erdreistet, von »kulturellen Ähnlichkeiten« mit dem Nahen Osten zu sprechen. (Was soll das bedeuten, ihr Trottel: kulturelle Ähnlichkeiten mit dem Nahen Osten? Verdammt noch mal, wo sind sie denn, die kulturellen Ähnlichkeiten mit dem Nahen Osten, ihr schwachsinnigen Lügenbolde?!? In Mekka? In Bethlehem, in Damaskus, in Beirut?!? In Kairo, in

Teheran, in Bagdad, in Kabul?!?) Diese misslungene Europäische Union. Dieses unbedeutende und enttäuschende Europa, dieser schmerzhafte Misserfolg, dem Italien seine schöne Sprache und seine nationale Identität opfert.

Als ich noch sehr jung war, siebzehn oder achtzehn, was spürte ich damals nur für eine Sehnsucht nach Europa! Hinter mir lag ein Krieg, in dem die Italiener und die Franzosen, die Italiener und die Engländer, die Italiener und die Griechen, die Italiener und die Deutschen, die Deutschen und die Franzosen und die Engländer und die Polen und die Niederländer und die Dänen und die Finnen und die Russen und so weiter und so fort sich gegenseitig erbarmungslos abgeschlachtet hatten. Schon mal davon gehört? Das war der verfluchte Zweite Weltkrieg ... Mein Vater suchte nach dem Krieg mit aller Verve nach Antworten auf die neu aufgeworfenen Fragen und predigte in dieser Situation den Europäischen Föderalismus: die Illusionen der von den Faschisten ermordeten Brüder Carlo und Nello Rosselli lassen grüßen. Er organisierte Kundgebungen, er sprach zum Publikum, er skandierte: »Europa, Europa! Wir müssen Europa erschaffen!« Mit großer Begeisterung und voller Vertrauen folgte ich ihm, wie ich ihm schon gefolgt war, als er noch Freiheit-Freiheit! skandiert hatte. Im Frieden lernte ich nach und nach jene kennen, die ein paar Jahre zuvor meine Feinde gewesen waren, und als ich

Deutsche ohne Uniformen, Gewehre oder Geschütze sah, dachte ich: »Sie sind wie wir. Sie kleiden sich wie wir, sie essen wie wir, sie lachen wie wir. Sie lieben die Musik, die Dichtkunst, die Bildhauerei und die Malerei genau wie wir, sie beten oder beten nicht, genau wie ich ... Wie war es da möglich, dass sie uns derart viel Leid zugefügt hatten, dass sie uns eingeschüchtert, schikaniert und umgebracht hatten wie Tiere?« Dann dachte ich: »Aber wir haben ihnen auch Leid zugefügt, wir haben sie auch umgebracht ...« Während mir ein Schauer des Entsetzens über den Rücken lief, fragte ich mich, ob ich in meiner Zeit im Widerstand vielleicht auf die eine oder andere Art ebenfalls zum Tod eines Deutschen beigetragen, ich vielleicht ebenfalls Deutsche umgebracht hatte. Ich stellte mir diese Frage, und als ich sie mir mit: ja-vielleicht, ja-ganz-sicher beantwortete, empfand ich so etwas wie Scham. Ich kam mir vor, als hätte ich im Mittelalter gekämpft, damals, als Florenz und Siena Krieg gegeneinander führten und die Fluten des Arno rot waren vor Blut, dem Blut von Florentinern und dem von Sienesen. Erschüttert und plötzlich voller Skepsis, hinterfragte ich meinen Stolz, gekämpft zu haben für mein Land, für meine Heimat, und ich kam zu dem Schluss: »Genug, genug! Vater hat Recht! Europa, Europa: Wir müssen Europa erschaffen!« Nun ja. Die Italiener aus jenen Italien, die nicht mein Italien sind, behaupten, wir hätten Europa erschaffen. Die Deutschen, die Franzosen, die Engländer, die Spanier, die Niederländer und so weiter und so fort – sie alle sagen von sich das Gleiche. Doch dieser Finanzclub, der mir meinen Parmesan und meinen Gorgonzola nimmt, der meine wunderschöne Sprache und meine nationale Identität opfert, der mich mit seinem populistischen Unsinn belästigt, der mehr als fünfzehn Millionen Söhnen Allahs samt ihren Terroristen Schutz gewährt, der von kulturellen Ähnlichkeiten mit unseren Angreifern spricht, der mit unseren Feinden ins Bett steigt, ist nicht das Europa, von dem ich geträumt habe. Er ist nicht Europa. Er ist der Selbstmord Europas.

* * *

Welches ist aber mein Italien? Ganz einfach, mein Lieber. Ganz einfach. Es ist das Gegenteil von den Italien, von denen ich bisher gesprochen habe. Ein ideales Italien. Ein ernsthaftes, intelligentes, laizistisches, mutiges und daher Achtung verdienendes Italien. Ein Italien, das seine Werte, seine Kultur, seine nationale Identität verteidigt. Ein Italien, das sich nicht von den Söhnen Allahs und nicht von den Fouchés, Barras' und den Talliens des neuen Konformismus einschüchtern lässt. Ein Italien, das stolz auf sich ist, ein Italien, das die Hand aufs Herz legt, wenn es die Fahne grüßt, für die wir gestorben sind. Kurz, das Italien, von dem ich träumte, als ich zwar keine Schuhe besaß, aber voller Illusionen war. Und wehe dem, der mir dieses Italien anrührt, ein Italien, das es gibt, ja, auch wenn es verlacht beleidigt zum Schweigen gebracht wird. Wehe dem, der es mir raubt, wehe dem, der es besetzen will. Denn ob es Napoleons Franzosen oder Franz Josephs Österreicher oder Hitlers Deutsche oder Usama Bin Ladens Turbanträger besetzen, macht für mich keinen Unterschied. Ob sie für die Besetzung Kanonen oder Schlauchboote benutzen, ebenfalls nicht.

Stopp. Was ich zu sagen hatte, habe ich gesagt. Die Wut und der Stolz haben es mir befohlen. Das reine Gewissen und das Alter haben es mir gestattet. Jetzt ist Schluss. Punkt und Schluss.

ORIANA FALLACI

New York, September 2001

Gesetzt aus der Garamond Amsterdam BQ bei
Franzis print & media, München
Druck und Bindung: GGP Media, Pößneck
Printed in Germany.